大家小书

三国史话

吕思勉 著

北京出版集团公司
北 京 出 版 社

图书在版编目（CIP）数据

三国史话 / 吕思勉著 . — 北京 ：北京出版社，2016. 7

（大家小书）

ISBN 978-7-200-12094-3

Ⅰ. ①三… Ⅱ. ①吕… Ⅲ. ①中国历史—研究—三国时代 Ⅳ. ①K236. 07

中国版本图书馆CIP数据核字（2016）第077079号

总策划：安　东　高立志　　责任编辑：严　艳

· 大家小书 ·

三国史话

SANGUO SHIHUA

吕思勉　著

*

北京出版集团公司
北京出版社　出版

（北京北三环中路6号　邮政编码：100120）

网　址：www.bph.com.cn

北京出版集团公司总发行

新华书店经销

北京华联印刷有限公司印刷

*

880毫米×1230毫米　32开本　8印张　131千字

2016年7月第1版　2024年4月第4次印刷

ISBN 978-7-200-12094-3

定价：32.00元

质量监督电话：010-58572393

序　　言

袁行霈

“大家小书”，是一个很俏皮的名称。此所谓“大家”，包括两方面的含义：一、书的作者是大家；二、书是写给大家看的，是大家的读物。所谓“小书”者，只是就其篇幅而言，篇幅显得小一些罢了。若论学术性则不但不轻，有些倒是相当重。其实，篇幅大小也是相对的，一部书十万字，在今天的印刷条件下，似乎算小书，若在老子、孔子的时代，又何尝就小呢？

编辑这套丛书，有一个用意就是节省读者的时间，让读者在较短的时间内获得较多的知识。在信息爆炸的时代，人们要学的东西太多了。补习，遂成为经常的需要。如果不善于补习，东抓一把，西抓一把，今天补这，明天补那，效果未必很好。如果把读书当成吃补药，还会失去读书时应有的那份从容和快乐。这套丛书每本的篇幅都小，读者即使细细地阅读慢慢地体味，也花不了多少时间，可以充分享受读书的乐趣。如果把它们当成补药来吃也行，剂量小，吃起来方便，消化起来也容易。

我们还有一个用意，就是想做一点文化积累的工作。把那些经过时间考验的、读者认同的著作，搜集到一起印刷出版，使之不至于泯没。有些书曾经畅销一时，但现在已经不容易得到；有些书当时或许没有引起很多人注意，但时间证明它们价值不菲。这两类书都需要挖掘出来，让它们重现光芒。科技类的图书偏重实用，一过时就不会有太多读者了，除了研究科技史的人还要用到之外。人文科学则不然，有许多书是常读常新的。然而，这套丛书也不都是旧书的重版，我们也想请一些著名的学者新写一些学术性和普及性兼备的小书，以满足读者日益增长的需求。

“大家小书”的开本不大，读者可以揣进衣兜里，随时随地掏出来读上几页。在路边等人的时候，在排队买戏票的时候，在车上、在公园里，都可以读。这样的读者多了，会为社会增添一些文化的色彩和学习的气氛，岂不是一件好事吗？

“大家小书”出版在即，出版社同志命我撰序说明原委。既然这套丛书标示书之小，序言当然也应以短小为宜。该说的都说了，就此搁笔吧。

《三国史话》的大家风范

梁满仓

吕思勉先生，字诚之，1884年2月27日生于江苏武进（今常州市），早年在苏州东吴大学、常州府中学堂、南通国文专科学校任教，后来到中华书局和商务印书馆做编辑。1920年任沈阳高等师范学校教授，1922年在苏州省立第一师范专修科任教，1925年任沪江大学教授。1926年以后，长期任光华大学历史系主任、教授。1941年年底，太平洋战争爆发，吕思勉回到家乡，到附近游击区中学任教，依靠稿酬艰难度日。抗日战争胜利后，仍回到光华大学历史系任主任。新中国成立后院系调整，光华大学并入华东师范大学，吕先生在该校历史系任一级教授，直至1957年逝世。

吕思勉先生著述甚丰，在中国通史、断代史、经学、理学、小学、文学、民族学、社会学等诸多领域里，都作出了重大贡献。其学术著作包括两部通史：《白话本国史》和《吕著中国通史》；五部断代史：《先秦史》、《秦汉史》、《两晋南北朝史》、《隋唐五代史》、《吕著中国近代史》；八部专史：《先秦学术概论》、《经子解题》、《理学纲要》、《宋代文学》、《中国制度史》、《中国民族史》、《吕著史学与史籍》和《文字学四种》。此外，他还写了大量的史学论文、札记、讲稿、教材和历史读物，著述总量超过一千万字。

无论学养还是学识，无论学术地位还是学术贡献，吕思勉先生都绝对称得上大家。相对上述学术著作，吕先生的这本通俗著作《三国史话》，则是一本篇幅不大的“小书”，放到“大家小书”丛书中甚是贴切。

然而，我们不能因其“小”而忽视其所蕴涵的价值。这部平易近人、雅俗共赏、娓娓道来的历史通俗读物，一样显示着知识渊博、分析中肯、真知灼见、求真求实的大家风范。

《三国史话》的大家风范，首先体现在作者强烈的历史责任意识。作者为什么不选择两汉或唐宋作为史话题材，而偏偏选中了三国呢？这个看似偶然的选择，其实包含着深刻的用意。在《楔子》中作者指出：“然而人的知识，总是他所知道的、记得的事情铸造成功的。知道的、记得的事情一误谬，其知识自然随之而误谬了。所以我们现在研究历史，倒还不重在知道的、记得的事情的多少，而尤重在矫正从前观点的误谬。矫正从前观点的误谬，自然是就人所熟悉的事情，加以讲论，要容易明白些，有兴味些。三国时代，既然是人们所最熟悉的，就此加以讲论，自然最为相宜。”《三国演义》在百姓中影响非常大，许多人是通过这部书熟悉三国历史的，但《三国演义》所传播的历史知识有不少不符合历史真实，从这段历史入手，可以使传播准确的历史知识收到最理想的效果，这既是吕先生作《三国史话》的初衷，也反映了吕先生作为历史学家强烈的责任意识。

《三国史话》的大家风范，还表现在一些经得住时间检验的观点。其中最精彩的要数对曹操和诸葛亮的评价。书中有一篇《替魏武帝辩诬》，篇中最后说："封建时代，是有其黑暗面，也有其光明面的。其光明面安在呢？公忠体国的文臣，舍生忘死的武士，就是其代表。这两种美德，魏武帝和诸葛武侯，都是全备了的。他们都是文武全才。”20世纪50年代末，中国史学界出现了围绕替曹操翻案问题的大讨论，并由此引起了史学界学习马克思主义的热潮。而《三国史话》出版于1943年，早于那场大讨论十多年。文中曹操是英雄的评价，至今仍是学界的主流认识。对诸葛亮的评价也是如此，其公忠体国、鞠躬尽瘁的精神一直受到人们的敬佩。进入21世纪以来，虽然有人出于吸引公众眼球的目的，企图把诸葛亮说成历史罪人，但始终没有引起多大反响。

求真求实是历史研究的目的，也是历史学之所以成为科学的真谛。吕先生在《历史和文学》一篇中指出：“古人的环境我们固然不能全知道，也不会全不知道。因而古人所做的事情，我们决不能全了解，也不至于全不了解。所以解释古事、批评古人，也不是绝对不可以，不过要很谨慎，限于可能的范围以内罢了。谨守着这个范围，我们能说的话，实在很少。然在这些少的话中，却多少见得一点事实的真相。其意义，要比演义等假设之以满足人的感情的，深长得多。满足感情固然是一种快乐，了解事实的真相，以满足求知的欲望，又何尝不是一种快乐？”分析历史问题谨守可能的范围，做出结论要谨慎，宁肯所说话少而真，也不为满足主观情感需要而长篇演义和假设。这不也体现着史学大家的风范吗？

《三国史话》是一部通俗历史读物，然而通俗中却包含着渊博的知识。例如《宦官》一篇，作者首先从解释“宦”字入手，根据先秦典籍《礼记》的记载，指出“宦”字开始并非指被阉割之人，而是与学有关。“宦”字的古义，是“学”和“仕”，而“学”和“仕”本身就是一回事。“因为在古代，有些专门的知识技能，就是在办理那件事的机关里，且办事且学习而得的。从其办事的一方面说，就是仕；从其学习的一方面说，就是学。”后来出现了在办事机构中或无所事事，或只为长官办私事的现象，等于是养闲人，于是“宦”便有了“养”的意思。皇帝所养的办事之人，便是宦官。在东汉光武帝之前，宦官不一定都是阉割过的人；只是到光武帝之后，宦官才悉用阉人。这个论述过程，不仅需要广博的史料运用，还需要运用训诂学手段。研究古书中词义被称为训诂学，其特点往往与艰深枯燥连在一起。而吕先生却把文字训诂运用得生动活泼，使人读起来既长知识，又兴趣盎然，非史学大家很难达到这个高度。

小中见大，通俗中见高雅，《三国史话》为我们树立了典范。当今社会，有的人以庸俗媚俗为美，蔑视嘲笑高雅；有的自封“大师”，把高雅庸俗化，这都反映出对真正高雅的浅陋与无知。当然，不可能人人都成为大家，但应该形成人人都以大家为榜样，向大家方向努力的风气，只有这样，我们文化发展的前景才是光明的。

2011年12月1日

目　录

三国史话

附录

三国史话

楔子

斜阳古柳赵家庄，
负鼓盲翁正作场。
死后是非谁管得？
满村听说蔡中郎。

这是宋朝陆放翁先生的诗，所说的，便是现在的说书。说书虽然是口中的事，然到后来，将说书的人所用的底本，加以润饰以供众览，就成为现在的平话了。平话俗称小说，亦谓之闲书。虽然是用以消闲的，然而人们的知识得自此中的，实在不少。

现在中国的书籍，行销最广的，是《三国演义》。据书业中人说：它的销数，年年是各种书籍中的第一。这部书有些

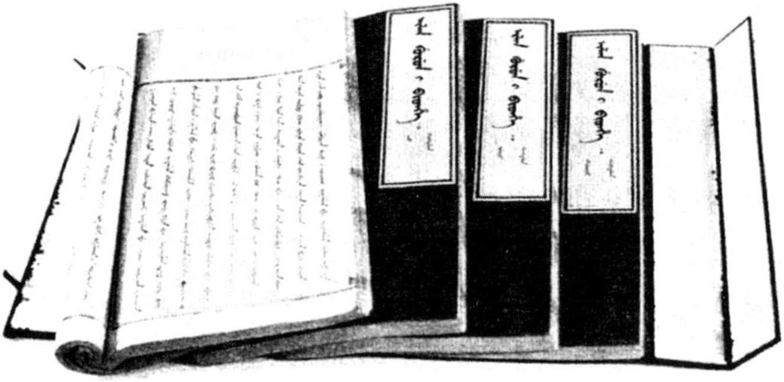

《三国演义》（清顺治满文本）

地方，渲染得很有文学意味，如赤壁之战前后便是；有些地方，却全是质实的记事，简直和正书差不多。这就显见得其前身系说书的底本。说得多的地方，穿插改造得多了；说得少的地方，却依然如故。

我在学校中教授历史多年，当学校招考新生以及近年来会考时看过的历史试卷不少。有些成绩低劣的，真“不知汉祖唐宗，是哪一朝皇帝”。然而问及三国史事，却很少荒谬绝伦的。这无疑是受《三国演义》的影响。他们未必个个人自己读，然而这种知识，在社会上普遍了，人们得着的机会就多，远较学校的教授和窗下的阅读为有力。这可见通俗教育和社会关系的密切。

老先生们估量人们知识的深浅，往往以知道的、记得的事情多少为标准。讲历史，自然尤其是如此。但无意义的事实，知道了，记得了，有什么用处呢？尤其是观点误谬的，知道了，记得了，不徒无益，而又有害。而且平心论之，也不能算知道史事。因为历史上的事实，所传的，总不过一个外形，有时连外形都靠不住，全靠我们根据事理去推测它、考证它、解释它。观点一误，就如戴黄眼镜的，看一切物皆黄，戴绿眼镜的，看一切物皆绿了。我们在社会上，遇见一个人、一件事，明明是好的，却误把恶意猜测他，就会觉得处处可疑；明明是坏的，却误当他好的，也会觉得他诚实可靠。历史上的事情，又何尝不是如此？

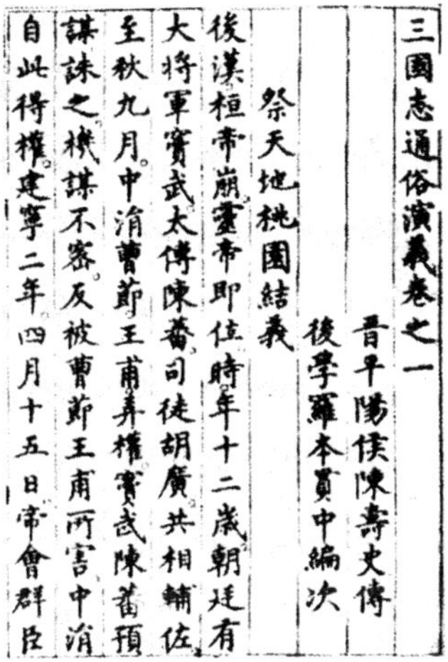
三國志通俗演義卷之一
晉平陽侯陳壽史傳
後學羅本貫中編次
祭天地桃園結義
後漢桓帝崩靈帝即位時年十二歲朝廷有大將軍竇武太傅陳蕃司徒胡廣共相輔佐至秋九月中涓曹節王甫弄權竇武陳蕃預謀誅之機謀不密反被曹節王甫所害中涓自此得權建寧二年四月十五日帝會群臣

《三国志通俗演义》（古刻本）

从前论史的人，多说史事是前车之鉴。其意以为一件事办好了，我们就当取以为法，摹仿他；一件事办坏了，我们就当引以为戒，不可再蹈其覆辙。这话很易为人们所赞许，其实似是而非的。史事哪有真相同的？我们所谓相同，都不过察之不精，误以不同为同罢了。事情既实不相同，如何能用同一的方法对付？别的事情姑弗论，在欧人东来之初，我们所以对付他的，何尝不根据旧有的知识？所谓旧有的知识，何尝不是从历史经验而来？其结果却是如何呢？

真正硬摹仿古人的自然不多，就是事实也不容你如此。然而人的知识，总是他所知道的、记得的事情铸造成功的。知道的、记得的事情一误谬，其知识自然随之而误谬了。所以我们现在研究历史，倒还不重在知道的、记得的事情的多少，而尤重在矫正从前观点的误谬。矫正从前观点的误谬，自然是就人所熟悉的事情，加以讲论，要容易明白些，有兴味些。

三国时代，既然是人们所最熟悉的，就此加以讲论，自然最为相宜。所以我想就这一段史事，略加说述，或者纠正从前的误谬，或者陈述一些前人所忽略的事情。以我学问的荒疏，见解的浅陋，自不免为大方所笑，我只是一点抛砖引玉的意思，希望以后人们能注意到这一方面的渐多，亦希望人们就我所说的赐予教正。

宦官

讲起三国的纷争来，大家都知道其乱源起于后汉。后汉末年为什么会乱呢？大家都知道其根源是灵帝的宠信十常侍，因此而政治紊乱，引起黄巾的造反。因黄巾的造反，而引起刘备和孙坚的起兵。又因灵帝死后，少帝即位，国舅何进要诛戮

十常侍乱政图

宦官，而引起董卓的进京。因董卓的进京，而引起废立之事，又因此而引起袁绍、曹操等纷纷起兵讨卓，天下就从此分裂了。然则后汉的祸源，最大的便是十常侍，这还是人谋之不臧。写《三国演义》的人，说什么“天下大势，分久必合，合久必分”，好像有什么定数似的，恐怕未必其然了。然则宦官究竟是怎样一种人呢？历来读史的人，怕知道宦官之为害者多，知道宦官的来源者少。我不妨借此机会，和诸君谈谈。

所谓宦者，大家都知道是曾经阉割的人。近代的俗语，亦称为太监。那是因为在明朝，他们所做的官，有二十四个，都称为某某监之故，这是不难解的。然则何以又称为宦者呢？在后汉时代，这一种人，威权很大，败坏政治很利害，所以写《后汉书》的人特地替这一班人作了一篇传，名为《宦者列传》，《宦者列传》序里说：“中兴之初，宦官悉用阉人。”这句话，和我们通常的见解有些不符。通常的见解，都以为宦官就是阉

光武帝紀第一上　范曄　後漢書一上
唐章懷太子賢注
世祖光武皇帝諱秀字文叔
南陽蔡陽人　高祖九
世之孫也出自景帝生長沙定王發
發生舂陵節侯買
買生鬱林太守外
外生鉅鹿都尉回

《后汉书》（宋刻本）

人，现在却说光武中兴之后，宦官才全用阉人，那么，自此以前，宦官就并非阉人了。所以有人疑心这“宦”字是错的，说当作“内”字。然而他这句话，实在是错的。

“宦”字的意思，本来并非指阉割。而“宦官”二字，亦本非指阉割的人所做的官。

我们所谓五经，中间有一部唤做《礼记》。《礼记》的第一篇是《曲礼》，《曲礼》里有一句：“宦学事师，非礼不亲。”学就是进学校，宦是什么呢？

须知道古代所谓学校，和现代全然不同。现代的学校，必须要传授些知识技能，古代的学校则全无此事。古代的学校亦分为大学、小学，所谓小学，只是教授一些传统的做人道理以及日常生活间的礼节，如洒扫应对进退之类。又或极粗浅的常识，如数目字和东西南北等名称之类。根本说不上知识，更无实际应用的技能。

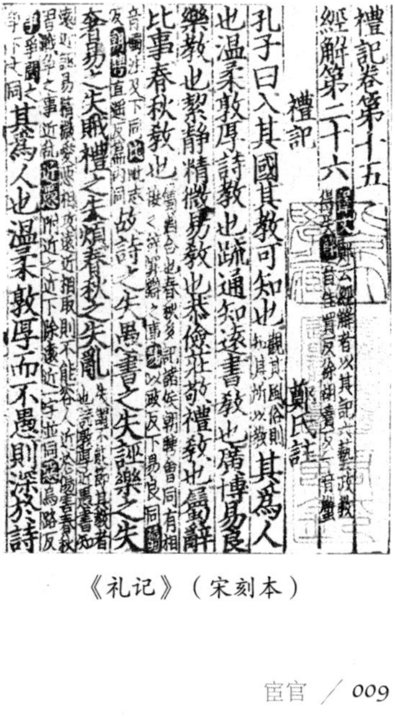
禮記卷第十五
經解第二十六
禮記 鄭氏註
孔子曰入其國其教可知也 其爲人
也溫柔敦厚詩教也疏通知遠書教也廣博易良
樂教也絜靜精微易教也恭儉莊敬禮教也屬辭
比事春秋教也 故詩之失愚書之失誣樂之失
奢 易之失賊禮之失煩春秋之失亂
其爲人也溫柔敦厚而不愚則深於詩

《礼记》（宋刻本）

至于大学，其中颇有

些高深的哲学，然而宗教的意味是很浓厚的。《礼记》里又有一篇，唤做《文王世子》。《文王世子》说：当时大学中所教的，是诗、书、礼、乐。这并不是现在的《诗经》、《书经》、《礼记》等等。须知古代的人研究学问的很少，而古人的迷信，却较后世人为深。当时的人对于一切问题的解释，都含有迷信的意味。所以在后世，学术和宗教是分离的，在古代则是合一的。所以古代的学问只存于教会之中，而教育权也操在教会手里。古代教会中非无较高深的学问，然总不能全脱离宗教的意味。至于实用的知识技能，则是他们所看轻的，学校里并不传授。所谓诗、书、礼、乐：礼即宗教中所行的礼，乐即宗教中所用的乐，诗就是乐的歌辞，书大约是宗教中的记录。在古代，历史和宗教中的经典，也是分不开的。印度和中国西藏地区都是如此。古代学校中有所谓养老之礼，其仪式非常隆重。天子对于所养的老人，要自己割好了肉，捧着酱送去请他吃。吃了，还要自己斟酒，给他漱口，就因为他是一个宗教中的长老，与不带迷信色彩的师长不同。《礼记》上还有一篇，唤做《王制》。《王制》里有一句说："出征执有罪，反释奠于学。"释奠是一种祭祀之名。发兵出去，打了胜仗，回来却在学校里去举行祭礼，就可见古代学校不是一个学术机关，而其宗教意味极为浓厚了。古书上说学校制度的地方很多，不能全说他是子虚乌有，然而从没见古书上记载一个人在学校里学到了什么知识技能，就是为此。

然则古人没有应用的知识技能么？不然。我们知道：所谓三代之世，已有较高度的文明，其时有许多事情，已非有专门知识技能不能办，就是现在所传的几部先秦子书，其中包含专门的知识技能也颇多，不能说全是后人伪造的。然则古人的知识技能，从哪里来的呢？这就是从宦之中得来。

古人解释“宦”字，有的说是学，有的说是仕，的确，这二者就是一事。因为在古代，有些专门的知识技能，就是在办理那件事的机关里，且办事且学习而得的。从其办事的一方面说，就是仕；从其学习的一方面说，就是学。

孔子像

读者诸君，总还有读过《论语》的，《论语》的《先进篇》有一段，说：“子路使子羔为费宰。子曰：‘贼夫人之子。’子路曰：‘有民人焉，有社稷焉。何必读书，然后为学？’”子路再鲁莽些，也不会主张人不学就可以办事。子路只是看重且办事且练习，而反对不能直接应用的知识，和现在的人看重应用技术，而藐视高深学理一般。这就是重视宦而轻视学。汉时皇室的藏书，由刘向和他的儿子刘歆编成一部书目，谓之《七略》。班固《汉书》的《艺文志》，大部分就是抄录他的。他对于每一类的书，都有推论这种学问从何发源及其得失的话。其论先秦诸子之学，都以为是出于一种官署，就是为此。然则宦就是在机关中学习做公务员。公务员中，自然有出类拔萃，有学术思想的，就根据经验，渐渐地成立一种学术了。

秦始皇像

话越说越远了，这和后世所谓太监者何干呢？不错，听我道来。刚才所说的，只是宦的正格。譬如现在机关中正式办理公务的公务员。现在机关中不有名为公务员，而实在无事可办；或者只是替长官办理私事的么？在古代亦何尝不是如此。所以秦始皇少年时，有一个人唤做嫪毐的，和他的母亲奸通了，嫪毐自然阔起来了，于是“诸客求宦为嫪毐舍人千余人”。这句话，见于《史记》的《吕不韦列传》里。这所谓宦，哪里是在什么机关里学习什么公务？不过在他家里做他的门客罢了，所以要称为舍人。嫪毐的舍人固然极一时之盛，然而古代的贵族，绝不止嫪毐一个人有舍人。这种在贵族家里做舍人的，都谓之为宦。所以“宦”字又有一个训释是“养”。“养”字可从两方面解释。他们是他们主人的食客，是他们的主人养活他的，所以谓之养。亦可以说：他们是以奉养他们的主人为职务的，所以谓之养。

此等门客，皇帝名下自然也是有的，这便是所谓宦官。中常侍即宦官之一。在前汉时，并不一定都用阉割过的人，到后汉光武帝之后，才专用此等人。所以《后汉书·宦者列传序》要说：中兴之初，宦官悉用阉人了。

然则阉割的人是从哪里来的呢？说到这里，又有一件有趣味而且又有些意义的事情。诸位知道刑字是怎样讲的呢？在下发这个问，逆料诸位一定会说：刑字不过是惩罚的意思，所以把人拘禁起来，剥夺其自由，也是刑的一种。然而古代的刑字，却不是这样讲的。在古代，必须用兵器伤害人的身体，使之成为不能恢复的创伤，然后可以谓之刑。

“十三经”里，有一部书，唤做《周礼》。《周礼》全是记古代所设的官及各官的职守的。其体例，极似明清时的《会典》。须知《会典》原是依据《周礼》的体例编成的。不但《会典》的体例是摹仿《周礼》，就是隋唐以后的官制，其大纲也是摹仿《周礼》制定的。《周礼》有天、地、春、夏、秋、冬六官，后世就摹仿之而设吏、户、礼、兵、刑、工六部。《周礼》的地官司徒，就是后世的户部，是管理人民的。治理地方的官，都属司徒管辖。他们都可以治理狱讼。狱便是现在所谓刑事，讼便是现在所谓民事。然而他们所用的惩罚，只能到拘禁和罚做苦工为止。如要用兵器伤害人的身体，那是要移交司

周禮卷第一

天官冢宰第一　周禮　鄭氏注

惟王建國　辨方正位

體國經野

設官分職

《周礼》（宋刻本）

寇办理的，司寇便是后世的刑部，其长官称为司寇，寇是外来的敌人。听讼之官谓之士，其长官谓之士师，师字的意义是长，士师就是士的长，士则本是战士的意思。然则古代用兵器伤害人的肉体，使其蒙不可恢复的创伤，其根本，实在是从战争来的，不是施之俘虏，就是施之内奸。后来社会的矛盾渐渐深刻了，才有以

此等惩罚施之于本族，用之于平时的。然而管理本族人民的机关里，还是不能用。这一因其为习惯之所无，一亦因此等施刑的器具及其技术，本非治理本族的机关里所有，所以非把他移交到别一种机关里不可。把现在的事情比附起来，就是从司法机关移交军法审判了。

古代有所谓五刑，都是伤害人的肉体的，便是墨、劓、剕、宫、大辟。墨是在脸上刺字；劓是割去鼻子；剕亦作膑，是截去足指；宫，男子是阉割，女子是把她关闭起来；大辟是杀头，这是伤害人的生命的，和墨、劓、剕、宫又有不同，所以又称为大刑。五刑对于男子，都是伤害身体的，独宫刑对于女子不然，不过是拘禁。这亦可见伤害肉体之刑，原起于军事，因为在军事中，女子倘或做人俘虏，战胜的人还要用来满足性欲，所以不肯施以阉割，于是自古相传阉割之刑，只对于男子有之。到后来，要将此刑施于女子，就只得代以不伤肉体的拘禁了。

伤害身体的刑罚，最初只施诸异族，或者内奸。所以较古的法子，是"公家不畜刑人，大夫不养"。这话亦见在《礼记·王制》上。因为俘虏原来是敌人，内奸是投降异族的，也和敌人一样，怕他们报仇之故。到后来伤害身体的刑罚，渐渐地施诸本族了，于是受过刑罚的人，其性质的可怕，就不如前此之甚，因此，就要使他们做些事情。《周礼》这一部书，从前有人说它是周公所做的，这是胡说。这部书所采取的，大概是东周以后的制度，时代较晚，所以受过各种刑罚的人，都有事情可做。而其中受过宫刑的人所做的事情是“守内”。因为古代的贵族，生怕他的妻妾和人家私通，所以在内室里要用阉割过的人。

到后来，就有一种极下贱的人，虽未受过宫刑，而希望到贵族的内室里去服役，就自行阉割，以为进身之阶了。宫刑，当隋文帝时业已废除。自此以后，做内监的人，都是自行阉割的。汉时虽还有宫刑，然据《后汉书·宦者列传序》里说，当时的宦者，亦以自行阉割进身的为多。后汉时的宦官，即专用此种人。自此以后，宦官二字，遂成为此种人的专称，失其本义了。

皇帝为什么会相信宦官呢？在历史上，有少数是因其性多疑忌，以为朝臣都要结党营私；只有宦官，是关闭在宫里，少和外人交接，结党要难些；而且宦官是没有家室的，营私之念也要淡些；所以相信他的。

然而这只是极少数。须知古来的皇帝，昏愚的多，贤明的少。这也并不是历代的皇帝生来就昏愚。因为人的知识，总是从受教育得来的。这所谓教育，并非指狭义的学校中的教

汉代宦官木俑

明代宦官塑像

育，乃是指一切环境足以使我们受其影响的。如此说来，皇帝所受的教育，可谓特别坏。因为他终年关闭于深宫之中，寻常人所接触到、足以增益知识的事情，他都接触不到。所以皇帝若是一个上知，也仅能成为中人；如其本系中人，就不免成为下驷了。

皇帝是一个最大的纨袴子弟，要知道皇帝的性质，只要就纨袴子弟加以观察，就可以做推想的根基了。纨袴子弟不是有的不肯和上等人交接，而专喜和奴仆攀谈，且专听奴仆的话么？这是因为他们的知识，只够听奴仆的话，而且只有奴仆，本无身份，亦无骨气，所以肯倾身奉承他们。历代皇帝的喜欢宦官，其原因亦不过如此。但是有等人，因其所处地位的重要，其所做的事，往往会闯出大乱子来。譬如在前清末年，慈禧太后和光绪皇帝不和，这种情况若在民间，也闯不出多大的乱子。母子不和之事，我们在社会上亦是时时看到的。然在皇室之中，就因此而酿成“戊戌政变”、“庚子拳乱”种种关系大局之事了。历代皇帝喜欢宦官，所以酿成大患，其原理亦不外此。

外戚

宦官是后汉的乱源，这是个个人都知道的了，却不知道后汉还有一个乱源，那便是所谓外戚。什么叫做外戚呢？外戚便是皇帝的亲戚，俗话谓之国戚。其实这是不通的。皇帝是皇帝，国家是国家，如何好并做一谈呢？但是君主专制时代的人，对于这个区别是不甚清楚的。所以皇帝的舅舅，就唤做国舅。

何国舅谋诛宦竖

读者诸君，不还记得《三国演义》上，有“何国舅谋诛宦竖”一回么？何国舅便是何进。他是后汉少帝的舅舅，少帝名辩，是灵帝的儿子，正宫皇后何氏所生。灵帝不喜欢他，而喜欢后宫美人王氏所生的儿子，名唤协。不立正宫皇后的儿子做太子，却立后宫美人的儿子，在君主时代唤做“废嫡立庶”，是违反习惯的，不免引起朝臣的谏阻，招致全国的批评，所以灵帝迟迟未能举行。后来却一病死了。

据历史上说：灵帝是把后事嘱托宦者蹇硕，叫他拥立协做皇帝的。当灵帝死的前一年，曾设立八个校尉。校尉是汉朝直接带兵最高的官，就像现在的师长一般。凡校尉手下，都是有兵的。再高于校尉的将军，却像现在的军长一般，手下不一定有兵了。当时设立八校尉，其中第一个便是蹇硕。其余七个校尉，袁绍、曹操，还有后来属于袁绍、乌巢劫粮时为曹操所杀的淳于琼，都在其中。历史上说其余七校尉，都统于蹇硕。大约蹇硕是八校尉中的首席。以一校尉而兼统七校尉，其实权就像将军一般，不过没有将军的名目罢了。大概因为他是宦官，不好加他以将军的称号罢。然而其实权的不小，却可想见了。当时到底是灵帝因为他有兵权，把废嫡立庶的事嘱托他？还是他因兵权在手，生出野心，想要废嫡立庶，诈称有灵帝遗命？我们现在也无从断定。

须知历史上这类不知真相、难以断定的事实，正多着呢。灵帝未曾废嫡立庶，灵帝死后，一个宦官却出来干这件事，无论其立心如何，在法律上总是毫无根据的，非靠实力不能解决。蹇硕虽是八校尉的首席，其余七校尉未必肯听他的命令。而且八校尉只是新设的兵，在京城里还有旧有的兵呢。旧有的兵属谁？那何进在名义上是大将军，一切兵都该听他的调遣的。汉朝离封建时代近，大家都有尊重贵族之心。国舅是贵族，容易得人拥护。宦者却是刑余贱人，大家瞧不起的，无人肯听他的命令。所以蹇硕在当时，要废辩而立协，名义上既觉得不顺，实力上，倘使为堂堂正正的争斗，亦决不能与何进敌，只有运用手段，把何进骗进宫里去杀掉之一法。在宫外是大将军的势力大，在宫内却是宦官的势力大，宫禁是皇帝所在，攻皇宫就有造反的嫌疑，这件事无人敢轻易做。蹇硕在当时，倘使真能把何进骗进宫杀掉，他的希望，倒也或许可以达到，至少是暂时可以达到的。苦于何进也知道他的阴谋，不肯进宫，蹇硕无法，只得听凭辩即皇帝位。此即所谓少帝。蹇硕既未能废立，就不过是一个宦者，他手下的兵，是既不足以作乱，也不能拥以自固的，就给何进拿下监，治以死罪。

当后汉时，宦官作威作福，天下的人民恨极了。当时的士大夫也都痛恨他。这时候，要诛戮宦官的空气，自然极其浓厚。何进便想把专权得宠的宦官，一概除尽。然而宦官和太后是接近的，天天向太后诉苦。女人家的耳根是软的。听了他们的话，就不肯听从何进的主张。何进无法，乃想调外边的兵进京来威吓太后。这样一来，宦官知道事机危急，乃诈传太后的诏旨，叫何进入宫。何进想不到这时候的宫内还会有变故，轻率进去，竟给宦官杀掉。宦官此等举动，不知道是以为无人敢犯皇宫呢？还是急不暇择，并未考虑？总之，在此种情势之下，还要希望人家不敢侵犯皇宫，就没有这回事了。这时候，袁绍的堂兄弟袁术，正受何进之命，选了两百个兵，要去代宦官守卫宫禁。听得这个消息，就去火烧宫门，攻击宦官，宦官如何能抵敌？只得挟持少帝，逃到黄河边上的小平津。有的为追兵所杀，有的自己投河而死在京城里。那袁绍此时，正做司隶校尉，是京城里管缉捕督察的官，把他（们）尽数搜杀。

宦官到此，算（被）一网打尽，然而西凉将董卓，亦因应何进之召，适于此时入京。西凉的兵是强的。董卓又是个粗暴的人，敢于妄作妄为。进京之后，便专擅朝权。把少帝废掉，而立协为皇帝，这个就是汉献帝。于是袁绍逃到东方。东方的州郡，纷纷起兵，讨伐董卓。董卓就把洛阳烧毁掉，逃到西京长安。东方起兵的人，并无意于讨伐董卓，各自占据地盘，互相争夺，天下就从此分裂了。

追源祸始，宦官固然不好，外戚也不是好东西。因为外戚不好，后汉的皇帝总和宦官合谋诛戮他，宦官因此才得专权，而和外戚亦遂成为不两立之势。积聚了许多次的冲突，最后一次，到底撞出很大的乱子来，其事就不可收拾了。所以外戚也不能不算是后汉的一个乱源。然则外戚到底是什么东西呢？

我们现在，亲戚二字是指异姓而言，古代却不然。戚字只是亲字的意思。凡是和我们有血统上的关系的，都谓之戚。我们的血统是有父母两方面的。父亲的父母和母亲的父母，父亲的兄弟姊妹和母亲的兄弟姊妹，和我们的关系，正是一样，夫妻之间，妻对于夫之父母，和夫对于妻之父母，其关系也是一样的。但是从父系家庭成立以来，父亲一方面的亲属和我们是一家人，母亲一方面的亲属却是两家人。夫妻之间，妻是住在夫的家庭之内的，夫的家就是妻的家，妻的家却不是夫的家。凡在家庭团体以外的人，古人都于其称谓之上，加一个外字，以示区别。所以母亲的家庭，称为外家。母亲的父母亲，称为外祖父母。妻称夫的父母为舅姑，夫却称妻之父母为外舅外姑。外戚二字，正是一个意义，就是指不是一家的亲属。单用一个戚字，或用亲戚两字，则是指一个家族以内的亲属的。

古人对于血统有关系的人，亲情特别厚，后世的人却淡薄了。世人都说：这是古代的人情厚，后世的人情薄。其实不然。亲密的感情，是从共同生活而来的。所谓生活的共同，并不限于财产相共。凡一切事实上的关系都是。如几个人共同经营一件事业，共同研究一种学问，都是和生活有关系。所以现在同事或同学之间，感情会特别亲厚。人类的团体，其范围是愈扩愈大的。所以愈扩愈大，则其根源是经济上的分工合作。譬如现在，上海木匠所用的材料，或者是江西、湖南等省贩来的，或者是外国贩来的。如此，上海的木材行，就不能不和江西、湖南等省的人有关系，甚而至于不能不和外国人有关系。各省或各国的人都可以做起同事来。既利害相同，又时时互相接触，彼此之间，自然容易互相了解，而其感情自然也易于浓厚了。这是举一事为例，其余一切都是如此的。古人则不然。其时交通不便，这一个部族和那一个部族，往往不相往来。事实上有关系和互相接触的，都限于部族以内。亲厚的感情，自然也限于部族以内了。古代同部族之中，大抵是血缘有关系的人。后人不知道其感情的亲厚，由于当时人的生活局促于部族之内，误以为血缘有关系的人，其感情自然会特别亲厚。遂以为血缘有关系的人，其间另有一种天性存在，这真是倒果为因。假如血缘有关系的人，其间自然而然会有一种天性存在。那么，把小孩从小送入育婴堂里，为什么长大后，不会自然认得其父母呢？所以现在伦理上所谓天性，无不是事实所造成，根本没有一件是生来就有的性质。读者诸君一定要驳我，说别种性质都可以说是事实造成的，母爱怕不能这么说罢？不然，最初的人类如何能绵延到如今呢？当时是没有所谓社会习染的，最初的母亲，如何会自动抚育其子女呢？要问这句话，只要请你就动物试验试验。假如你家里有雌猫，当它生小猫的时候，你试把它自己所生的取掉，换几只别一只猫所生的小猫给它，它一样会把乳给它吃的。可见母猫的哺乳小猫，只是满足它自己的哺乳欲，哺乳欲是并不限于自己所生的幼儿的。人类远古的母亲怕也是如此。以当时人类能力的薄弱，倘使个个母亲都只肯抚育自己所生的子女，那怕人类真不会绵延至于今日了。然而人类这一类倒果为因的误解，是非常之多的。既误以为血缘相近的人，其间有一种特别的天性，就以为血缘相亲近的人，在伦理上应当特别亲厚，于是有国有家的人，也就要特别任用自己的亲戚了。

亲戚分为两种：一种是父系时代自己家里的人，后世谓之宗室。一种是母亲家里或者妻子家里的人，后世谓之外戚。

伦理上的训条只是一句空话。到实际上的利害和伦理上的训条相冲突的时候，普通人是不会遵守训条、不顾利害的。所以古人误以为宗室外戚和自己特别亲厚，而把他们封了许多国，到后来，其冲突就起于宗室和外戚之间。因为并吞人家的国，利益就大，也就顾不得什么一家不一家，亲戚不亲戚。试看东周列国，互相吞并，其间哪一国不有同姓或者婚姻的关系呢？然而直到汉朝，人心还没有觉悟。汉高祖得了天下，就把子弟及同姓分封了许多在外边，而朝内之事，则专一付托吕后。诸位读过《两汉演义》么？韩信、彭越是何等样利害的人？为什么都会给吕后杀掉？这不是汉高祖自己在外面跑，把京城里一切政治都交付给吕后，才会这样么？倘使吕后亦像别一朝太平时代的皇后，专门坐在宫里，不管外事，能够忽然跳起来杀掉这两个人么？可知后来吕后的临朝称制，事非偶然了。

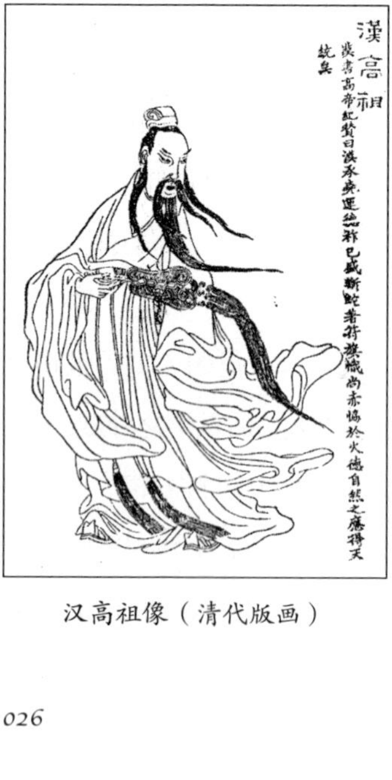

汉高祖像（清代版画）

一种不适宜的制度，人类是非经过长久的经验，不会觉悟的。把宗室封建于外，后来要互相攻击，甚而至于对天朝造反，这是从封建时代就积有很长久的经验的。所以秦始皇并吞六国之后，已不肯再封建子弟。汉高祖虽不行其法，到景帝时吴楚七国造反之后，也就觉悟其制度之不可行，把所封的王国，地方都削小，政权也都夺去了。至于外戚秉政，足以贻祸，则其经验较浅。因为古代等级森严，诸侯是要和诸侯结婚的，和自己国内的大夫结婚，是个例外。所以古代国内，甚少外戚，自然不会撞出多少祸事来。所以在汉代，前汉为外戚王氏所篡，后汉还是任用外戚。所用的外戚，没一个有好结果，然而一个外戚去，一个外戚又来。正和辛亥革命以前，一个皇帝被打倒，又立一个皇帝一样。当一种制度的命运未至灭亡的时节，虽有弊病，人总只怪身居其位的人不好，而不怪到这制度不好。譬如我们现在，天天骂着奸商，却没有人攻击商业制度一样。

黄巾

后汉的乱源，还有一个“黄巾贼”。“黄巾贼”的事迹，料来诸位都知道的了，用不着在下来谈。在下却想借这机会和诸位谈一谈道教。

大家不都知道，在江西的龙虎山上，有一个张天师么？这天师的称号，从何而来？据《魏书·释老志》说，是这样的：当魏世祖时，有道士寇谦之，少修张鲁之术，后来太上老君下凡，授以天师之位，据太上老君说：自从天师张陵去世，地上久已无修善之人。因为寇谦之为人好，修道诚，所以特将此位授给他的。然则张陵是第一位天师了。张陵是谁？便是三国时代割据汉中的张鲁的祖父。

据《三国志》说，张陵是在四川的鹄鸣山中学道的。要学他的道的人，都要出五斗米，所以时人称为“米贼”。张陵的道，传给他的儿子张衡，张衡又传给他的儿子张鲁，然而《后汉书·灵帝纪》说：中平元年（184）七月，巴郡妖巫张修反。注引刘艾说：张修替人治病，病好的给他五斗米，号为五斗米师。《三国志·张鲁传》注引魏文帝所作的《典略》也说：灵帝时妖贼大起。在现在陕西省城一带，就是汉朝人所称为三辅的地方，有骆曜。在东方有张角。在汉中有张修。张修之道，称为五斗米道。并没有说起什么张陵和张衡。（张修和张鲁都是益州牧刘焉手下的军官，刘焉差他俩去夺取汉中的。既得汉中之后，张鲁又将张修杀却，而并其众。）《典略》说五斗米道，本起于张修，张鲁在汉中，因百姓相信张修的道，把他增加修饰的。

倘使张鲁之道，真系受之于其父祖，则三代相传，历时不为不久，为什么魏文帝和他是同时代人，绝不提及其父祖？而且张鲁是江苏丰县人。魏文帝说五斗米道和张角的太平道，大略相同，张角是巨鹿人，巨鹿是现在河北的宁晋县（今平乡县——编者注）；还有被孙策杀掉的于吉，是琅玡人，琅玡是现在山东的诸城县（今诸城市——编者注）；其地亦都在东方，为什么五斗米道独出于四川？江苏人跑到四川去传道，固然不是没有的事，为什么其道在四川又并无影响呢？《三国志》和《后汉书》的《刘焉传》都说张鲁的母亲是懂得鬼道的，因此在刘焉家中进出，亦不说她的鬼道和她的丈夫张衡、公公张陵有何关系。

然则张陵到底是怎样一个人物，殊不可知。似乎张鲁既据汉中之后，因人民信奉五斗米道，不能不行，而又不愿意承认此道出于其仇敌张修；五斗米道既为人民所尊奉，把来装在自己的祖父和父亲身上，至少在当时的环境里是光荣的；而且三代相传，则根柢深厚，又可以引起人民信仰之心；于是妄言其道出于父祖。然则张陵到底是怎样一个人物，殊不可知，而后世自称为他子孙的人，居然代代以天师自居；历代的政府，也居然多加以天师、真人等封号。倘使张陵有知，怕也要觉得出于意外罢？

替人治病，使人思过，给他符水吃，这是张修和张角相同的。就是于吉，也用符水替人治病的。然而他们的行径，也有大不相同的地方。

张角是要煽动人民造反，夺取天下的。他分遣弟子八人，传道于四方。据《后汉书·皇甫嵩传》说，相信他的人，青、徐、幽、冀、荆、扬、兖、豫八州都有。后汉时这八州，要包括现在江苏、安徽、江西、湖南、湖北、山东、河南、河北八省。他的信徒有几十万人。他把他们部署为三十六方。大方万余人，小方六七千。一朝事泄，他一个命令传出去，这些信徒就同时并起了。他又谣言："苍天已死，黄天当立。”这句话，《三国演义》上有，《后汉书》上也是有的。诸位读了，一定要觉得奇怪，怎么天会得死呢？也不过以为草寇的说话，是不通的，不求甚解，一笑便置之罢了。其实不然。摇惑人为的话，也是要人家懂得的。倘使没有人懂，还造作它做什么？就使造的人不通，这话又何能风行呢？

须知古人的见解，和今人不同。今人说天子，只是一句空话。古人说天子，则真当他是天的儿子的。这种思想起源很早。到汉朝时候，其迷信还未尽破除。诸位大概都知道汉高祖斩蛇起义这句话。这件事《史记》《汉书》上是这样说的：汉高祖夜行，前有白蛇当道，汉高祖拔剑斩之，高祖走过之后，又有人走过这地方，见有老妪夜哭。问她为什么事情。她说：我的儿子被人家杀了。过路的人问她：你的儿子是什么人？给什么人杀掉？她说：我的儿子是白帝的儿子，现在给赤帝的儿子杀掉了。过路的人听她这话奇怪，觉得她不老实，正要给些苦头她吃，她却忽然不见了。这话自然是假造的。然而为什么要造这段话？就可见得当时的人有此思想，造出来足以摇惑人心了。什么叫做赤帝、白帝呢？这正和张角所说的苍天、黄天，是一个道理。把天和地当做整个的，天上只有一个总的天神，地下也只有一个总的地神，这是业经进化后的宗教思想，古人却不是这样。

古人所祭的地，只是自己所居住、所耕种的一片土地。这便是现在的社祭。所祭的天，也只是代表一种生物的功用。农作物是靠着四时气候的变化，才能够生长成熟的。古人看了这种变化，以为都有一个天神在暗中主持着，所以有青、赤、白、黑四个天帝，青帝主春生，赤帝主夏长，白帝主秋收，黑帝主冬藏。春生、夏长、秋收、冬藏，都是要靠土地的，所以又有一个黄帝，以主土地的随时变化。古人又很早就有五行的思想，把物质分成五类，那便是水、火、木、金、土。把五行来配五方和四时，则木在东方，属春；火在南方，属夏；金在西方，属秋；水在北方，属冬。这大约因春天草木生长；夏天炎热，火的性质也热；秋天草木都死了，其性质为肃杀，而金属是做兵器的；冬天寒冷，水亦是寒冷的，所以如此配合。至于土，则古人每以自己住居的地方为中心，自然只好位置之于中央。其次序，自然在木火和金水之间了。

古人认为天上的五帝，是应该依着次序来管理人间之事的。为天下之主的，必须是天帝的儿子。所以朝代的更换，便是这一个天帝的子孙，让位给那一个天帝的子孙。这就是所谓“五德终始”。所以我们看古史，往往说某一个帝王是以某德王，如以木德王、以火德王之类。五德终始又有两种说法：一种是依相克的次序，木德之后该金德，金德之后该火德，火德之后该水德，水德之后该土德，土德之后又该木德的。一种是依相生的次序，木德之后该火德，火德之后该土德，土德之后该金德，金德之后该水德，水德之后又该木德的。在秦朝和西汉的前半期，是依着相克的次序。所以秦朝以周朝为火德，自己为水德，汉朝又自以为土德。到西汉的末年，却改用相生之说了，于是以周朝为木德，自己为火德，而把秦朝去掉不算。后来魏文帝代汉，又自以为是土德。

张角说什么苍天、黄天，自然也是想做皇帝的，不过依相克的次序，应该说黑天已死，黄天当立；依相生的次序，应该说赤天已死，黄天当立；总不该说苍天已死，黄天当立。不知道是张角另有说法呢，还是做历史的人弄错了一个字？不过他说到这一类的话，其有取汉朝而代之之心总是显而易见的了。所以我说：张角是要煽动人民造反，夺取天下的。

至于张修，则其规模大不相同。据《三国志》和注引魏文帝《典略》说：他隔了若干里，就设立一个义舍，以便行人歇宿。又把米和肉置于其中谓之义米肉。过路的人都可以按照自己的量吃饱。但是不能多取的，多取的鬼会罚他。他又禁酒。春夏则禁杀生。有小罪的人罚他修路一百步。如此，人民的经济，颇可因之而宽余。

张鲁据汉中，亦有二十余年，始终未曾出兵争夺别的地方。后来曹操去伐他，他的意思还不愿抗拒。可见其宗旨只要保守一地方，与民相安。

于吉又和张修、张鲁不同。张鲁虽无意于争夺天下，扩充地盘，毕竟还带过兵，打过仗。张修并还造过反。至于于吉，则大约是个文人，所以《三国志·孙策传》注引《江表传》说：他在现在的苏州，设立精舍，这精舍乃是汉人读书讲学之处。他的被杀，《江表传》和注所引的《搜神记》，说法亦有不同。《江表传》说：孙策在城楼上聚会诸将宾客，于吉从楼下走过，诸将宾客有三分之二都下楼迎拜他。孙策大怒，说他摇惑众心，使自己手下之人失掉君臣之礼，就把他捉起来。信奉于吉的人，都使家中的妇女去见孙策的母亲，替他求情。诸将又联名请求孙策，要替他保全他性命。孙策不听，竟把他杀了。《搜神记》说：孙策要乘虚袭击许昌，带着于吉同行，时适大旱，舟行困难。孙策

小霸王怒斩于吉

一清早就自出督促。将吏却多在于吉处，不能依时聚集。孙策大怒，说他败坏部伍，就把他绑在地上晒，叫他求雨，说午时以前得雨就赦他。果然大雨倾盆，大家以为孙策要赦他了，孙策却竟把他杀掉。这两说谁真谁假，连写《三国志注》的裴松之，也不能决断。依我看来，都未必确实。因为《江表传》说：诸将替他求情时，孙策说，你们不要信他。从前有个交州刺史（交州是现在的越南地方，在唐以前，也是中国的郡县）张津，就是相信这般邪道的，后来到底为外夷所杀。据裴松之说：张津确是死在于吉之后的，就可见得《江表传》的不确。至于《搜神记》说孙策要袭击许都，依我看来，根本没这一回事。这话另有一段考据，只好将来再谈。现在假定我的说法是正确的，《搜神记》的话也是靠不住的了。但《江表传》和《搜神记》，毕竟是离于吉年代不远的人所作。他们想象中，以为于吉是怎样一个人，毕竟不会错的，据他们的想象，则于吉是一个术士，或者也可以说是一个江湖医生。他至多只能以幕友的资格随军，决不能带兵打仗的。看孙策手下的诸将宾客如此信奉他，可见他专和阔人来往。和张角、张修、张鲁等，专在小百姓面上做工夫的，又有不同。

须知宗教是有这三种：一种是在小百姓面上做工夫，而想煽动了他们，以图大事的，如近代洪秀全所创的上帝教便是。一种亦是在小百姓面上做工夫，确有些劝人为善的意思的。如波斯的摩尼教，在唐朝时候曾经输入中国。后来被唐武宗禁止了，然而到宋朝时候，人民仍有信奉它的。其教徒都不吃肉，而且还要互相救济，所以多有致富的，能维持一部分人的信仰。还有一种，则是专和上、中流社会中人交接的。如在距今十余年以前，风行一时的同善社就是。这三件年代比较近的事，恰好和汉末的张角、张鲁、于吉做一个比喻。

这种宗教，因其教理大都浅陋；而且既是宗教，总不免有些迷信的地方。迷信这件事，是在本团体以内便被视为神圣，在本团体以外就会被视为邪道的。再加张角一类人，借此煽动人民以图大事，就更被一般人所痛恶，要目为邪教；而政府也要加以禁止了。然第三种不过可鄙，并不会有什么大害。第二种可以说是有些益处的，只有第一种危险些。然而第一种的危险，实由于社会的不安，和宗教的本身并无多大关系。《后汉书·杨震传》说：他的孙儿杨赐，在灵帝时位居司徒，曾上疏说张角所煽惑的全是流民。这件事，但惩治张角，是无用的。要令各地方的官吏把流民都送还本乡。然后把太平道的头目惩治几个，其事就不劳而定了。可见得张角的能够发动人民，全由于社会的不安。宗教的本身并无多大力量。

还有，后世所谓道教，其根源，分明是出于张角、张修、张鲁、于吉一班人的，和老子毫无相干，他们却都奉老子为始祖。因为老子这一派学问，古代称为道家，他们的教就称为道教；而且竟有称佛道为释老的，如《魏书》的《释老志》便是，这又是什么道理呢？我说：这是因黄帝而牵及老子的。据《后汉书》说，张角所奉的道，称为黄老道，而《典略》说张修在汉中，并不置官吏，但令教中的祭酒治理百姓，祭酒要将老子的五千言教人学习。老子的五千言和张修

秦始皇遣使求仙图

之道有何关系，而要使人学习呢？原来秦汉时的方士，就是教秦始皇、汉武帝派人到海外去寻神仙、炼合丹药服之以求不死的，都依附于黄帝。黄帝是没有书的，老子却有五千言。黄老在秦汉时代是并称的。张角、张修、张鲁、于吉等的道术，本来和方士有相当的关系，就因黄帝而牵及老子，把老子的书来使人诵习了。反正是当他咒语念，管什么意义合不合，念的人懂不懂呢？而老子，就这么糊里糊涂地被人牵去，作为他们教中的始祖了。倘使老子地下有知，怕更要莫名其妙罢？

历史和文学

讲《三国志》，大家所最喜欢听的是战事。我现在说了许多话，一点战事也没有提到，读者诸君一定要不耐烦了。且慢！战事是可以讲的，《三国演义》式的战事，却不能讲，因为这根本是文学，不是历史。文学固然有文学的趣味，历史也有历史的趣味。

充满了离奇变幻的情节，使人听了拍案惊奇，这是文学的趣味，但意义实在是浅薄的。因为文学是刺激感情的东西。要求感情满足，其势不能使人多用心。所以演义一类的书，所说的军谋和外交手段等，看似离奇变幻，神出鬼没，要是我们真肯用心，凭着事理想一想，就知道他所说的话，都极幼稚，只好骗小孩子罢了。

讲历史却不然。历史上的事情，都是真实的。其中如军谋和外交问题等，关系何等重大！应付这些问题的人，各方面都要顾到。而他们当日的环境，就是他们四面八方的情形，十分里倒有八九分是我们现在不知道的。那么，他们当日应付的手段，我们如何会了解？更何从批评其得失呢？

俗话说："旁观者清，当局者迷。"这句话，只是旁观者不负责任之辞，并不是真理。因为当局者的环境，旁观者总不能尽知。假如一个人对付一个问题要顾到三方面，而旁观者只知道两方面，那从旁观者看起来，这个问题自然要好对付得多。在当局者，还要多顾全一方面，旁观者所主张的办法，他就决不能采用。在旁观者看来，他的手段就很不高明，而要说他是一个迷者了。其实何尝是如此呢？读史的所以难，解释古事、批评古人的所以不可轻易，其原因就在乎此。

然则史事根本无从说起了，还会有什么趣味呢？不，听我道来。古人的环境我们固然不能全知道，也不会全不知道。因而古人所做的事情，我们决不能全了解，也不至于全不了解。所以解释古事、批评古人，也不是绝对不可以，不过要很谨慎，限于可能的范围以内罢了。谨守着这个范围，我们能说的话，实在很少。然在这些少的话中，却多少见得一点事实的真相。其意义，要比演义等假设之以满足人的感情的，深长得多。满足感情固然是一种快乐，了解事实的真相，以满足求知的欲望，又何尝不是一种快乐？所以有史学天才的人，听了我的话，固然不会比听《三国演义》乏味。就是通常人听了我的话，也不一定会觉得乏味的。因为历史上有许多问题，原是普通的问题，人人能够了解的，学问的能够通俗化，其原因就在于此。

后汉的地理

现在要说三国时的战事了，却还要请诸位耐烦一些，听一听东汉时地理的情形。东汉的行政区划是分为十三个州，十二个州各有一个刺史，又有一个州，则是属于司隶校尉的。把现在的地方说起来，则

幽州　包括河北省的北部和热河（旧省名，今辽宁省西部，河北省东北部——编者注）、辽宁两省，还包括朝鲜半岛的北部。因为朝鲜在汉时，也是中国的郡县。

冀州　河北省的南部。

并州　山西省的大部分、陕西省的北部和察哈尔（旧省名，并入今河北、山西——编者注）、绥远（旧省名，并入今内蒙古自治区——编者注）两省的一部分。

凉州　大略是现在的甘肃和宁夏两省。

青州　山东省的东北部。

兖州　山东省的西部和河南省的东北部。

豫州　河南省的东南部和安徽的江北。

徐州　山东的东南部和江苏的江北。

扬州　江苏、安徽的江南及江西、浙江、福建三省。

荆州　河南的西南部和湖南、湖北两省。

益州　陕西省的南部和四川、云南两省。

交州　广东、广西两省，还包括现在的越南。因为越南在汉时，也是中国的郡县。

司隶校尉　河南省的西北部、山西省的西南部、陕西省的中部。

汉朝的行政区划，下级的是县。这和后世的情形是一样的，是官治的最下级。自此以下，就只有自治的机关，而没有官治的机关了。上级的是郡。郡的幅员，在中原繁盛之地，和前清时代的府差不多。县的长官，户口多的称为令，少的称为长；郡的长官，称为太守；都是地方行政官。郡以上更大的区域称为州。每州有一个刺史，却是监察官而不是行政官了，所以他监察人家的失职与否，而自己并不办事。而且所监察的专注重于太守，县以下的事情，即非其所问。

原来秦汉时代的县，就是古代的一个国。诸位总还有读过《孟子》的。《孟子》的《万章下篇》说古代国家的大小，不是说“天子之地方千里，公、侯皆方百里，伯七十里，子、男五十里”么？《汉书·百官公卿表》说：汉朝承袭秦朝的制度，每一县的地方，大概是方一百里。我们读《左传》等书屡见当时的大国灭小国而以为县，而秦汉时的县名，和古代的国名相同的很多，就可见古代之国被灭之后，在大国中仍成为一个政治单位。春秋、战国之世，次等国大约方五百里，如《孟子·告子下篇》所说，“今鲁方百里者五”便是。大国则方千里，如《孟子·梁惠王上篇》所说，“海内之地，方千里者九，齐集有其一”便是。这其大小，就是《万章篇》所说的天子之国了。所以孟子说梁惠王，说齐宣王，都希望他们行王政而王天下，因为他们实在有这个凭借。

在春秋以前，大国或次等国灭掉了别一国，大概都把它作为自己国里的一县，直隶于中央政府，其上更无任何等级。战国时的大国，才有在边地置郡的，内地还没有什么郡。郡的兵力比县要充足些。所以战国时，秦王派甘茂去攻韩国的宜阳县，甘茂说：宜阳虽名为县，其实是郡，是不容易攻的。内地用不到很厚的兵力，所以各国都不设郡。到秦始皇灭六国，六国的人民都非心服，到处都有用兵力镇压的必要，所以把天下分做三十六郡，而郡就成为普遍的制度了。所以郡的设立，根本就是为镇压起见，并不是为治理地方起见。

但是既不放心各地方的人民，怕其要反叛，县的兵力不足镇压，而要设置了许多郡守，又怕郡守的权力太大了，于己不利，于是每郡又派一个御史去监视着他。到汉朝，皇帝不再派御史，而由丞相分派若干个史，出去监察各郡，这个史便称为刺史。刺史本非行政官，一个刺史监察几个郡，只是办事上一个分划的手续，并不是什么行政区划，所以其初并没有州的名目而称之为部。这部字，便是现在部分两个字的意思。到后来才改称为州，但是名目虽改，其实权还是一样。直到后汉灵帝时候，改刺史为州牧，其实权才有变更的。改刺史为州牧，前汉时就有此举，但是不久又改回来了。

当时主张改刺史为牧的人，议论是这样的，他们说：刺史的责任在监察太守，可是他们的官位比太守小，他们的资格也比太守浅。政治上的秩序，是要使大官去治小官，不该使小官去治大官的。所以要把刺史改名为牧，算做太守的上级官，用资格深的人去做。其实这话是错的。监察和行政是两个系统。监察一系的官吏，可以监察行政官，乃其职权如此，并非把其官位和所监察的官的官位，比较大小而定的。而在事实上，则行政官宜用资格较深的人，监察官宜用资格较浅的人。因为行政有时候要有相当的手腕，而且也要有相当技术，这是要有经验然后才能够有的，所以要用资格深的人。至于监察官，则重在破除情面。要锋锐，不要稳重。要有些初出茅庐的呆气，不要阅历深而世故熟。要他抱有高远的理想，看得世事不入眼，不要他看惯了以为无足为怪。要他到处没有认得的人，可以一意孤行，不要交际多了，处处觉得为难。把现在的事来说，学校里初毕业的人，文官考试刚录取的人，宜于做监察官。在官场上办过若干年事情的人，宜于做行政官。而且行政官和当地的人，总不能毫无联络。对于土豪劣绅等，有时虽明知其不好，也不容易专走方路，把他们尽情惩治的，因为如此，他就要暗中和你为难，使你缓急之际办事棘手，有时为害甚大。就是平时的政务，也不免要受他牵掣的。我前文说行政官必须要有些手腕，这也是其中的一端。至于监察官，则根本不办什么事情，不怕你掣肘。而且汉朝的刺史，只有一年一任，到你要和他为难，他倒早已离开你这地方了。土豪劣绅的势力，大抵只限于本地。要离开本地，赶进京，或者到别地方去和前任刺史为难，是不容易的。所以汉朝刺史的制度，确有相当的价值。前汉时主张改刺史为州牧的人，其议论实不得当。所以后来行之而不好，就不得不将旧制回复了。

但是到东汉末年，此论复起。主张的人，便是刘璋的父亲刘焉。他的理由是四方多乱，非有资深望重的人不能镇慑；而资深望重的人是不能使他为刺史，而不得不改其名为牧，以示隆重的。当时听了他的话，便派了几个资深望重的人出去做州牧。其余不重要的去处，还是称为刺史。到后来，则一个人往往先做刺史，过了几年，资格渐深，名望渐高，然后升为州牧。论当时的情势，有实力的人，无论称为刺史，或称为牧，其能霸占一地方，总是一样。而且既占一地方之后，其势也不得不升他做牧。但是有几个人，其能霸占一地方，和州牧的制度也是有些关系的。譬如刘表，若非有州牧之制，他这种名望很高的人，或者就不会久任一州的刺史。又如他的名目只是刺史，在地位上比州牧要低些，或者他也要小心一些，有许多僭越的事情，根本就不敢做。所以把后汉末年的分裂，过分归咎于州牧之制，是不对的；然而州牧之制，确也有相当的关系。据地自专，和中央政府反抗，是要有相当大的地盘的。从春秋以来，像后世一府这么大的地方，就不足以为轻重。所以和鲁国差不多大小的国，如宋国、卫国、郑国等，都不能和大国相抗，到秦汉之世，此等情形就更为显著。

诸位有读过柳宗元的《封建论》的么？他的《封建论》里有一句说：汉朝“有叛国而无叛郡”。这就因为汉时的郡，只有后世一府这么大，而汉初所封诸国，都兼五六郡之地之故。后汉末年，割据的人，大约都有一州或大于一州之地，也是为此。后汉的十三州，大小是极不相等的。小的如青州、兖州，不过现在山东省的一半。大的如扬州、益州，都要包括现在的好几省。这是因人口多则设治密，而当时的南方还未甚开发之故。所以翻开读史地图来看，吴国的地方并不小于魏，而实力却远不如魏，就是为此。

司隶校尉是前汉武帝所设的官。因当时有巫蛊之祸，使之督捕，是带有非常时期的侦缉性质的。后来事过境迁，此等特殊性质渐渐消灭，乃使其监察数郡。在这一点上，其性质与刺史无异。所以后汉有十三州，中有一州不设刺史而即由司隶校尉监察。

董卓的扰乱

现在真要说起三国时的战事来了。说起三国时的战事来，第一个要提到的，便是董卓。董卓到底是怎样一个人呢？

三国的纷争，起于汉献帝初平元年东方州郡的起兵讨伐董卓。其时为公元190年。直到晋武帝太康元年，把东吴灭掉，天下才算统一。其时为公元280年。分裂扰乱的局面，共历91年。政治上最怕的是纲纪废坠。纲纪一废坠，那就中央政府的命令不能行于地方，野心家纷纷乘机割据，天下就非大乱不可了。

董卓像

专制时代的君主，虽然实际也无甚能力。然而天下太平了几十年，或者几百年，大家都听中央政府的命令惯了，没有机会可乘，决没人敢无端发难。后汉时，离封建时代还近，尊君的思想极为普遍。读过书的知兵大员，虽然很有威望，兵权在手，也都不敢违犯中央的命令。黄巾虽然勾结很广，起兵时声势浩大，幸而张角并非真有才略的人，一起兵，就被官军扑灭了，其余党虽未能尽绝；黄巾以外，各地方的盗贼起义的虽然还不少，都是迫于饥寒，并无大志。倘使政治清明，再有相当的兵力辅助，未始不可于短期之内剿抚平定的。何进的死，虽然京城里经过一番扰乱，恰好把积年盘据的宦官除掉了，倒像患外症的施行了手术一般。所以经过这一番扰乱以后，倒是一个图治的好机会。而惜乎给董卓走进去，把中央的局面弄糟了。正给有野心要想割据的人一个好机会。自此以后，中央政府就命令不行，政治上的纲纪全然失去了。所以论起汉末的分裂来，董卓确是一个罪魁祸首。

董卓初进京城时，也未始不想做些好事。当后汉桓、灵二帝时，宦官专权，曾诬指反对的人为党人。把他们杀的杀，治罪的治罪。最轻的，也都不准做官。这个在古时谓之锢，所以史家称为党锢之祸。董卓初进京时，替从前受祸的人一一昭雪，而且还引用了一班名士。有名的蔡邕表字唤做伯喈的，便是其中的一个。

蔡邕像

他自己所喜欢的人，只做军官，并不参与政治。倘使他真能听这一班名士的话，约束手下的武人，政治也未始不可渐上轨道。苦于他其实是不懂得政治的人。一上政治舞台，便做了一件给人家借口的事。那便是废少帝而立献帝。在专制时代，无故废立，那是怎样容易受人攻击的事啊！公忠体国之臣，固然皇帝不好，不敢轻于废立。就是奸雄想要专权，甚而至于想要篡位的，也正利于君主的无用，何必要废昏立明？历代篡弑之事，能够成功的，都在权势已成，反对自己的人诛锄已尽之后，哪有一入手便先做一件受人攻击之事的呢？董卓的举动如此，就见得他是一个草包了。

而他所以失败之由，尤其在于不能约束兵士。当时洛阳城中，富贵之家甚多，家家都有金帛。他就放纵兵士，到人家去抢劫。还要奸淫妇女。有一次，他派兵到洛阳附近的地方去。这地方正在作社（中国民间最重的是社祭，就趁这时候，举行种种宴乐、游戏等事，谓之作社），人民都聚集在社庙附近。他的兵，就把男人都杀掉。再抢了他们的车，把所杀的人头挂在车辕上，载其妇女而还。这件事，《三国演义》上也曾说及的。《三国演义》的话，有些固然靠不住，有些却是真的。这件事，正史中的《后汉书》上也有，并非写《三国演义》的人冤枉董卓。他的军队如此，就连京城里的秩序都不能维持，还说得上收拾天下的人心么？无怪东方州郡要起兵讨伐他了。

东方的兵一起，董卓的所作所为，就更不成话了。他的兵虽也相当的强，然而名不正，言不顺。而且东方州郡的兵，声势浩大，也不易力敌的。于是想到从洛阳迁都长安。一者路途遥远，且有函谷关（函谷关，本在今河南的灵宝县，汉武帝时，东移到现在河南的新安县。这是从河南到陕西一条狭路的东口。现在的潼关，是其西口）之险可守，东方的兵不容易到。二者董卓是西凉人，所用的是西凉的兵，长安离他的老家近些。这还可说是用兵的形势不得不然。然而迁都也有迁法。他却令手下的兵，逼着人民迁徙。当时洛阳居民共有数百万人，互相践踏。也有饿死的，也有遇着抢劫而死的，死尸堆满在路上。他自己带兵，仍留在洛阳附近。一把火，把皇宫、官署、民居都烧毁了。二百里内更无人迹。他又使吕布把汉朝皇帝和官员的坟，都掘开了，把坟中所藏珍宝取去。你想这还成什么行为？无怪批《三国演义》的人，要说他是强盗行径，不成气候了。

当时东方的兵，如果能声罪致讨，这种无谋的主帅，这种无纪律的军队，实在是不堪一击的。至多经过一两次战事，就平定了。苦于这些州牧、郡守，都只想占据地盘，保存实力，没有一个肯先进兵。其中只有曹操，到底是有大略的人。他虽然是个散家财起兵，本来并无地盘的，倒立意要成就大事。替义兵（当时称东方讨伐董卓的兵为义兵）划了一个进取之策。诸人都不听，曹操就独自进兵。董卓的兵力是相当强的。合众诸侯的力量以攻之，虽然有余，单靠曹操一个人的力量，自然不够。兵到荥阳，就给董卓的部将徐荣打败。然而曹操的兵虽少，却能力战一天。徐荣以为东诸侯的兵都是如此，也就不敢追赶。

这时候，董卓的兵似乎胜利了，却又有一个孙坚，从豫南而来。孙坚是做长沙太守的。汉朝时候，湖南还未甚开辟，长沙僻在南方，与中原大局无甚关系。倘使做太守的是一个苟且偷安的人，大可闭境息民，置境外之事于不问。孙坚却是有野心的。他听得东诸侯（当时称东方的州牧、郡守为东诸侯，乃是沿用封建时代的旧名词）起兵讨卓，也就立刻起兵。路过荆州、南阳，把刺史太守都杀了。前到鲁阳，这就是现在河南的鲁山县，为从南阳到洛阳的要道。这时候，袁术因畏惧董卓，屯兵在此，便表荐孙坚做豫州刺史。孙坚向北进兵，也给徐荣打败。明年，孙坚收兵再进。董卓使吕布、胡轸去拒敌。二人不和，军中无故自乱。给孙坚打败，把他的都督华雄杀掉。华雄明明是被孙坚所杀的，《三国演义》却说他被关公所斩，这就是演义不可尽信之处了。于是孙坚进兵，离洛阳只有九十里，董卓自己出战，又败。乃留兵分屯关外，自己也退到长安。

董卓这时候，大抵是想雄据关内，看东诸侯的兵将怎样的。果然东诸侯心力不齐，不能进兵。孙坚进到洛阳，修复了汉朝皇帝的坟墓，也就无力再进了。而且这时候，洛阳业已残破，不能驻兵。只得仍退到鲁阳。倘使这时候，董卓的所作所为，成气候一些，确也还可以据守关内。无如他的所为，更不成气候了。他在关中的郿县（编者注：今陕西省眉县）造了一个坞。据《后汉书》说：高厚各有七丈。《后汉书注》是唐朝的章怀太子（唐高宗的儿子，名字唤做贤）作的。据说其时遗址还在，周围有一里一百步。他在郿坞中，堆积了三十年的粮食。说："事成雄据天下，事不成，守此也足以终身了。"你想，乱世的风波，多着呢，险着呢，哪有这种容易的事？而且他一味暴虐，不论文官武将，要杀就杀。于是再没有人归心他。再到明年，就是汉献帝的初平三年（192），就给王允、吕布合谋所杀。这件事的大概，料想诸君都知道的，不必细讲了。

董卓虽死，朝廷却仍不能安静。事缘董卓虽死，他手下的军队还多着呢，都没有措置得妥帖。

排布这件事，是要有些政治手腕的。王允虽然公忠，手腕却缺乏。没有下一道赦令暂安他们的心，然后徐图措置。当时董卓的女婿牛辅，屯兵在现在河南的陕县，吕布既杀董卓，派李肃到陕县，要想借皇帝的命令，杀掉牛辅。这如何办得到？于是李肃给牛辅打败了。吕布便把李肃杀掉。这其实

王司徒巧使连环计

除凶暴吕布助司徒

王允像

也是冤枉的。牛辅心不自安。有一次，营中的兵，有反去的。辅以为全营都反，取了金宝，带着亲信五六个人逃走，他的亲信又垂涎他的金宝，把他杀掉，将头送到长安。

他的部将李傕、郭汜、张济等，本来是去侵略现在河南省的东南部的，回来之后，军中已无主将。又听得谣言说：京城里要尽杀凉州人。急得没有主意，想各自分散，逃归本乡。当时有一个讨虏校尉，名唤贾诩的，也在军中。对他们说道：你们弃众单行，一个亭长（汉时十里一亭，亭有长，亦主督捕盗贼），就把你们绑起来了。不如带兵而西，沿路收兵，替董卓报仇。事情成功了，还怕什么？不成，到那时再想法逃走，亦未为晚。一句话点醒了李傕等，就照着他的话行。大约当时想乱的人多了，沿路收兵，居然得到十几万。就去攻长安城。十天工夫，把城攻破了。吕布战败逃走，王允给他们杀掉。于是长安为李傕、郭汜所据。张济仍分屯于外。

贾诩像

李傕、郭汜的不成气候，自然也和董卓一样的。纵兵到处抢劫。当时长安附近，人民还有几十万家，因此穷到人吃人。两年之间，几乎死尽了。后来李傕、郭汜又互相攻击。李傕把汉献帝留在营中，做个人质，却派公卿到郭汜营中讲和。郭汜便把他们都扣留起来。幸得张济从外面来，替他们讲和，汉献帝才得放出。

献帝知道在李傕、郭汜等势力范围之下，总不是一回事。派人去请求李傕，要东归洛阳。使者来回了十趟李傕才答应了。献帝如奉到赦令一般，即日起行。此时护卫献帝的：一个是杨定，乃董卓部将；一个是杨奉，本来是白波贼（白波，谷名，在今山西汾城县。白波贼，是在白波谷地方做强盗的）帅，后来做李傕部将，又反李傕的；一个是董承，是牛辅的部将。走到华阴，有一个带兵的人，唤做段煨的，把献帝迎接入营。

段煨的为人，是比较成气候一点的，却和杨定不合。杨定就说他要造反，发兵去攻他的营。恰好李傕、郭汜把皇帝放走了，又有些懊悔，乃合兵去救段煨。杨定逃奔荆州。献帝乘机脱身。而张济又和杨奉、董承不合，和李傕、郭汜合兵来追。杨奉、董承大败。乃诈与李傕等讲和，而暗中招白波帅李乐、韩暹、胡才等和南匈奴的兵来，把李傕等打败。李傕等合兵再来，杨奉、董承等又败。乃逃过黄河，暂住在山西安邑县地方。韩暹又和董承相攻。

董承逃奔河内，就是现在河南的武陟县。河内太守张杨，叫他到洛阳去，把宫室略为修理，发兵迎接献帝，回到洛阳。此时洛阳城中，房屋都没有什么了，到处生着野草。百官都住在颓墙败壁之间。有的自出樵采，有的竟至饿死。在洛阳护卫献帝的，是董承、韩暹两人。他俩依旧不和。董承暗中派人去唤曹操进京，以后的大权，就归于曹氏了。

我们总看，从董卓入洛阳以后，到献帝迁回洛阳之时，汉朝的中央政局，可说全是给董卓和他部下的人弄坏的。这件事，别有一个深远的原因在内。我们且看蔡文姬的诗：

> 汉季失权柄，董卓乱天常。志欲图篡弑，先害诸贤良。
> 逼迫迁旧邦，拥主以自强。海内兴义师，欲共讨不祥。

卓众来东下，金甲耀日光。平土人脆弱，来兵皆胡羌。

猎野围城邑，所向悉破亡。斩截无孑遗，尸骸相撑拒。

马边悬男头，马后载妇女。长驱西入关，回路险且阻。

还顾邈冥冥，肝脾为烂腐。所略有万计，不得令屯聚。

或有骨肉俱，欲言不敢语。失意机微间，辄此毙降虏。

“要当以亭刃，我曹不活汝。”（这十个字，是西凉兵骂俘虏的话）岂复惜性命，不堪其詈骂。

或便加捶杖，毒痛参并下。旦则号泣行，夜则悲吟坐。

欲死不能得，欲生无一可。彼苍者何辜？乃遭此危祸。

蔡文姬名琰，就是蔡邕的女儿，是后汉时的一个才女。这一首诗，写尽了西凉兵野蛮的情形。

看了“来兵皆胡羌”一句，可知当时西凉兵中，夹杂了许多异族。原来羌人的根据地，本在今甘肃东南部。战国时，才给秦国人赶到黄河西边。羌人就以今青海省城附近大通河流域为根据地。西汉时，中国又经开拓，羌人又逃向西边去了。到王莽末年，乘中原内乱，又渡过大通河来。后汉初年，屡次反叛。中国（汉朝）把他打平了，都把降众迁徙到内地。一时来不及同化。又有贪官污吏、土豪劣绅都要欺凌剥削他们，于是激而生变。从安帝到灵帝，即大约从公元107年起到176年，70

《胡汉交战图》画像石拓本（东汉晚期至三国）

年之间，反叛了好几次。中国（汉朝）这时候政治腐败。带兵的人都无意于打仗。地方官则争先恐后，迁徙到内地。凉州一隅，遂至形同化外。后来表面上虽然平定，实际乱事还是时时要发动的。

羌人的程度本来很低。他的反叛全是原始掠夺性质。胡本来是匈奴人的名称。后来汉朝人把北边的异族都称为胡。其初，还称匈奴东方的异族为东胡，西方的异族为西胡或西域胡。再后来，便把西字或西域字略去，竟称之为胡了。这一首诗中“来兵皆胡羌”的胡字，大约是西域胡，也是野蛮喜欢掠夺的。

而中国（汉）人和这一班人打仗打久了，也不免要传染着他们的气习。所以当时的西凉兵野蛮如此。带兵的人就要约束，又从何约束起呢？况且董卓自己也是这样的。《后汉书》上说：他有一次到郿坞去，汉朝的官员替他送行。他将投降的几百个人，即在席间杀害。先割掉他们的舌头，再斩断他们的手脚，再凿去他们的眼睛，然后用锅子来煮。这些人要死不得死，都宛转杯案之间。大家吓得筷子等都丢掉了，董卓却饮食自如。他的性质如此，又怎会约束他手下的人呢？他的这种性质，是哪里来的？《后汉书》说他“少游羌中，尽与其豪帅相结”。可见董卓的性质，有一半被他们同化了。不但董卓如此，他的部将和他的兵，怕大都如此。后来“五胡乱华”时，有一大部分人还是带着这种性质的。

可见后汉时西凉兵的扰乱，并不是一个单纯的政治问题，其中实含有很深远的民族问题、文化问题在内了。

曹操是怎样强起来的

董卓劫迁献帝之后，东方州郡既无人能跟踪剿讨，自然要乘机各据地盘了。当时的南方还未甚发达，在政治上的关系也比较浅。北方，洛阳残破了。从函谷关以西，则还在董卓手里。所以龙争虎斗，以幽、并、青、冀、兖、豫、徐七州和荆、扬两州的北部为最利害。这就是现在的山东、山西、河南、河北四省，及江苏、安徽、江西、湖北四省中江、汉、淮三条大水沿岸的地方。

当灵帝末年，做幽州牧的是刘虞。他是汉朝的宗室。立心颇为仁厚，居官甚有贤名，颇得百姓爱戴。然实无甚才略。幽州有个军官唤做公孙瓒，性情桀骜，而手下的兵颇强，自然不免有些野心。不过当政治上秩序未大坏时，还不敢公然反抗罢了。到董卓行废立之后，情形又有不同。献帝既系董卓所立，在专制时代的皇位继承法上，自不能算做正当。讨伐董卓的人，自然有不承认献帝的可能。于是袁绍和冀州牧韩馥联合，要推刘虞做皇帝。刘虞是没有实力的人，假使承认了，岂非自居叛逆，甘做他人的傀儡，所以坚决不受。反派人到长安去，朝见献帝。献帝正为董卓所困，想要脱身而无法。见刘虞的使者来，大喜。此时刘虞的儿子刘和，还在长安做官。献帝就叫他回见父亲，密传诏旨：令刘虞派兵来迎。刘和不敢走函谷关大路，打从现在商县东面的武关出去。这时候袁术因惧怕董卓，带兵驻扎在南阳。恰好孙坚自长沙带兵而北，把南阳太守杀掉，袁术就趁此机会，把南阳占据起来。迎

袁绍像

袁术像

接皇帝，是一件大有功劳，而且存心要想专权，也是一件大有希望的事。有此机会，袁术如何肯让刘虞独占。刘和经过其境，袁术便把他留下，派人去告诉刘虞，叫他派兵来和自己的兵会同西上。刘虞果然派了几千个马兵来，就叫刘和统带。这事倘使成功，刘虞的名望地位岂不更要增高，公孙瓒要把他推翻就难了。所以公孙瓒力劝刘虞不可派兵。刘虞不听。公孙瓒便串通袁术把刘和拘留起来，而把刘虞所派的兵夺去。这是董卓劫迁献帝以后，关于帝位问题，当时几个有兵权和地盘的人钩心斗角的一幕。因其事情没有闹大，读史的人都不甚注意，把它淡淡地读过了。其实此项阴谋，和当时东方兵争序幕的开启，是很有关系的。

公孙瓒像

公孙瓒串通袁术，把刘和拘留起来，刘虞派去的兵夺掉，既阻止刘虞迎驾的成功，又可和袁术相联结，他的阴谋似乎很操胜算了。于是志得意满，以讨伐董卓为名，带兵侵入冀州，要想夺韩馥的地盘。韩馥如何能抵敌？

曹操像

谁知螳螂捕蝉，黄雀又随其后。鹬蚌相持，渔翁得利，反替袁绍造成了一个机会。此时袁绍正因董卓西迁，还军河北，便乘机派人去游说韩馥。韩馥乃弃官而去，把冀州让给袁绍。袁绍的高、曾、祖、父都是做汉朝的宰相的（所谓“四世三公”，后汉是以司马、司徒、司空算相职的），归心于他的人很多。其才能，比之韩馥，自然也要高出几倍。公孙瓒要占据地盘不得，反而赶去了无用的邻居，换了一个强敌来。世界上的事情，正是变化多端，不由得人打如意算盘了。

袁绍和公孙瓒地势逼近，自然是要想互相吞并，不会合式的。袁术和公孙瓒联结，对于北方也有一种野心。凭空跳出一个袁绍来，这种野心不免要受一个打击。自然要和袁绍不对，顾不到什么弟兄不弟兄了。

曹操和袁绍是讨卓时的友军。当群雄初起之时，各人都怕兵力不够，总想多拉帮手。不是利害真相冲突之时，总要戴着假面具，互相利用。这是当时曹操、刘备、吕布等所以内虽不和而当人家穷困来投奔时，总要假意敷衍，不肯遽行决裂的原因。袁、曹初时的互相提携，理由亦不外此。此时兖州北境，适有乱事，本来的地方官不能平定。曹操带兵去把他打平了。袁绍就表荐他做东郡太守（治东武阳，在今山东朝城县西。编者注：即今山东省莘县）。此事在汉献帝的二年。明年，青州黄巾攻入兖州。兖州刺史刘岱为其所杀。济北（济北国，在今山东长清县南）相鲍信是最赏识曹操的，就劝刘岱手下的人共迎曹操为兖州牧。此时黄巾声势浩大，曹操和鲍信进兵讨伐，鲍信力战而死。曹操到底把黄巾打破。黄巾投降的共有三十多万人。曹操把他精锐的留下，编成军队，称为青州兵。这些都是百战的悍贼。于是曹操不但得兖州为地盘，手下的军队也比较精强了。

南阳在后汉时，也是荆州的属地。这时候的荆州刺史是刘表，已从今湖南境内迁徙到湖北的襄阳，和中原之地接近了，和南阳势尤相逼。孙坚也是个没有地盘的人，屯扎在河南鲁山县境内。袁术就表荐他做豫州刺史，和他互相联结，要想夺刘表的地盘。这样一来，袁绍就要和刘表联结。而徐州和兖州是相接境的。徐州可以吞并兖州，兖州也可以吞并徐州。徐州牧陶谦，照《三国演义》上看来，是一位好好先生，这个不是真相。他虽无才能，而亦颇有野心。青州刺史田楷，则本系公孙瓒的人。

当时的斗争，遂成为冀州的袁绍、兖州的曹操、荆州的刘表站在一条线上，幽州有实权的公孙瓒、寄居荆州境内的袁术和豫州的孙坚、徐州的陶谦站在一条线上的形势。刘备是以讨黄巾起兵的，后来跟随公孙瓒。公孙瓒荐他做平原（今山东平原县）相。平原属于青州，常做田楷的帮手，所以也在公孙瓒、袁术战线之内。

两个集团开始斗争，袁术和公孙瓒一方面是失败了。公孙瓒进兵攻袁绍，既为所败（即《三国演义》所谓袁绍磐河战公孙。据《演义》上看，似乎两军无大胜败，实在是公孙瓒败的）。袁术使孙坚攻刘表，虽然战胜，围困襄阳，然孙坚的用兵太觉轻率，因单马独出，被刘表的军士射杀了。刘表就进兵截断袁术的粮道。此事在汉献帝四年。前一年，公孙瓒已经发动刘备和陶谦，进兵山东西北境，以逼袁绍。给袁绍、曹操联合打败。至此，袁术又自己带兵到现在豫东的陈留，又给曹操打败了。袁术逃到九江。汉朝的九江郡，在现在安徽的寿县，也就是扬州刺史的治所。袁术逃到九江之后，将扬州刺史杀掉，把其地占据起来。寿春虽然是东南重要的都会，其势离北方已经远一步了。陶谦却在此时发动大兵以攻曹操。和下邳（在今江苏邳县境内）地方自称天子的阙宣联合，攻取了山东的泰安、费县，进逼济宁。

这一年秋天，曹操进攻陶谦，连破了十几座城池。明年夏又继续进攻，直打到徐州东境。曹操的攻陶谦，《后汉书》和《三国志》都说他是要报父仇。这句话是不确的。

曹操的父亲名曹嵩，是沛国谯县人。汉朝的谯县就是现在安徽的亳县。他被杀的情形：《三国志·魏志·武帝纪》说：“董卓之乱，避难琅琊，为陶谦所害。”《后汉书·陶谦传》则说他避难琅琊，陶谦的别将（部将离开主将，自带一支兵驻扎在外面的，谓之别将）有守阴平的，士卒贪他的财宝把他袭杀。这两说须互相补充，才觉得完全。曹嵩避难的琅琊，该是现在山东诸城县东南的琅琊山（后汉有琅琊郡，在今山东临沂县北）。董卓之乱，亳县并没有受影

报父仇曹操兴师

响。曹嵩所以要避难，乃因曹操起兵以讨董卓之故。这是避人耳目，并非逃避兵灾，所以要躲在山里。汉朝的阴平县，在现今江苏沭阳县西北，其地离琅玡山颇近，所以守阴平的兵会把曹嵩杀掉。《后汉书》没说出曹嵩避难的原因。《三国志》则没有说明杀害曹嵩的主名。所以我说：二说要互相补充，才觉得完全。至于《三国演义》之说，则出于《三国志》注引《世语》，《世语》说曹嵩的被害，在泰山、华县之间。汉朝的泰山郡，就是现在山东的泰安县（今泰安市——编者注），华县就是费县，大约因陶谦曾夺取其地，所以有此传讹，其说全不足信了。然则曹嵩确系陶谦部将的兵所杀。

做主将的固然有约束部下的责任，然亦只到约束为止。部将的兵杀人，要主将负约束不严以外的责任，也是不合理的。所以因曹嵩被杀，而曹操声言向陶谦报仇，理由并不充足。不过师出无名，以此作一个借口罢了。可见得当时用兵的人，论其实际，无一个不意在扩充地盘了。

曹操这一次的用兵，是颇为残暴的。《三国志》谓其“所过多所残戮”。这个不像曹操做的事情。大约这时候，曹操的兵，系以收编的青州黄巾为主力。其人本系强盗，所以难于约束。然战斗力颇强，所以袁术、刘备、陶谦都非其敌。倘使竟吞并了徐州，则曹操以一人而坐拥两州，形势就更强了。不意忽然跳出一个吕布来。

吕布像

吕布从长安逃出来之后，就去投奔袁术。袁术很敷衍他。而吕布手下的军队很无纪律，专事抄掠。袁术就有些难于容留他。吕布觉得不安，逃到现在河南的武陟县，去靠河内太守张杨。这时候，长安悬挂赏格，缉拿吕布很急。吕布怕张杨手下的人要谋害他，又逃去投奔袁绍，帮助袁绍攻击常山里的强盗张燕。吕布的武艺是颇为高强的。他手下的军队亦颇精练，而马队尤其得力。

平话中叙述两军争战，大都是将对将厮杀，而兵对兵相厮杀似乎无甚关系。这固然不是事实。然将对将相厮杀，而其余的兵士看着不动，前代亦偶有其事。不过不像平话中所说，以此为决定胜负的要件罢了。像《三国志·吕布传》注引《英雄记》，说李傕、郭汜攻长安时，郭汜在城北，吕布开门迎敌，对郭汜说："咱俩可约退兵马，一决胜负。"郭汜听了他的话，被吕布用矛刺伤。郭汜的从兵，前来解救。二人乃各自退去。就是一个将对将决斗的例子。这大约是古代战争规模很小时，所遗留下来的打法。吕布能刺伤郭汜，可见其武艺确较郭汜为高强。此等个人的勇力，固然不是战争时决定胜负的唯一条件。然主将能冲锋陷阵，确亦足以引起士卒的勇气。

《三国志·吕布传》说他有良马，唤做赤兔。攻张燕时，常和其亲近将校冲锋陷阵，因此得把张燕的兵打破。注引《曹瞒传》说，当时的人有句口头话，说“人中有吕布，马中有赤兔”。到后来，吕布被曹操擒获时，他对曹操说：“你所怕的人，也没有超过我的。现在我已经服你了。倘使你带了步兵，我带了马兵，天下不足定也。”他做了俘虏，还说得出这几句话，可见他马队的精强，确非虚语了。兵在精而不在多，曹操的青州兵，以御陶谦、袁术、刘备等久疏战阵、乌合凑集的兵（据《三国志·先主传》刘备离田楷归陶谦时，只有兵一千多人。此外便是杂胡骑及略得的饥民等），虽然有余，以当吕布的兵，确乎是遇着了劲敌了。然而吕布生平，也到处吃军队不守纪律的亏。他在袁绍处便因此而站不住脚。再想投奔张杨，路过陈留，却一时交到好运。

陈留太守张邈，是和曹操最有交情的人。曹操的起义兵讨董卓，张邈就是最先赞助他的。这时候，曹操东征徐州，还对家属说："我如其死了不回来，你们可以去依靠张邈。"其交情深厚如此。陈宫也是曹操的亲信。曹操本来是以东郡太守发迹的。这时候东征陶谦，陈宫却留守东郡，其为亲信可知。不知如何，两个人却反起曹操来了。

《三国演义》说曹操借献宝刀为由，要想刺死董卓，未能成功，情虚脱逃。董卓行文各处捕拿他。这时候，陈宫正做县令。曹操于路为其所获。陈宫密问，知其用意，感其忠义，弃官与之同逃。路过曹操故人吕伯奢家，同往投宿。伯奢殷勤招待，自己出去买酒，吩咐家人预备肴馔。曹操心虚，听得厨下磨刀之声，疑其有不良之心。再听，又听得里面说道："缚而杀之可乎？"曹操说："是了。"就和陈宫拔剑入内，把吕伯奢家人一齐杀死。直杀到厨下，见绑着一只猪。陈宫说："孟德心多，误杀好人了。"两人只得匆匆起行。路遇吕伯奢买酒回来，曹操又把他杀掉。陈宫大骇。曹操说："宁可我负天下人，不可使天下人负我。"陈宫闻言，恶其狠心毒手，乘曹操熟睡后，要想把他杀掉。再一想，这也不是事，就弃了曹操而去。这是演义上装点附会的话。

董卓废立后，曹操改变姓名、弃官东归是有的，却并非因献刀行刺。王允、吕布合谋诛杀董卓，还不能禁李傕、郭汜的造反，以致长安失陷。单刺死了一个董卓，又将如何呢？曹操路过中牟县（今河南中牟县），为亭长所疑，捉住送到县里。有认得他的人，把他释放了，这事情也是有的。然县令并非陈宫。

又曹操过成皋（今河南汜水县）时，到故人吕伯奢家，把他家里的人杀掉，则见于《三国志》注引《魏书》《世语》及孙盛《杂记》。《魏书》说曹操带数骑到吕伯奢家，伯奢不在。他的儿子要和宾客（没有亲族关系，也够不上算朋友，而寄食人家的谓之宾客。文的如门客，武的如上海的老头子家里养活几个白相人，都可以谓之宾客）打劫曹操的马和行李。“曹操手刃击杀数人。”《世语》说伯奢不在，他的五个儿子殷勤招待曹操，而曹操“疑其图己，手剑夜杀八人而去”。《杂记》说曹操“闻其食器声，以为图己，遂夜杀之，既而凄怆曰：宁我负人，无人负我。遂行”。这件事的真相未知如何。然曹操本来是有些武艺的（《三国志·魏志·武帝纪》引孙盛《杂语》：说曹操“曾私入中常侍张让室。让觉之，乃舞手戟于庭，逾垣而出”），汉朝离战国时代近，战国以前本来道路不甚太平。走路的人要成群结队，带着兵器自卫。居家的人亦往往招集徒党，做些打家劫舍，或打劫过往客商之事，根本不足为奇。曹操因疑心吕伯奢家而将其家人杀掉，或吕伯奢的儿子要想打劫曹操而被曹操所杀，都属情理所可有。不过其中并无陈宫罢了。

《三国志·吕布传》注引《英雄记》说：陈宫归吕布后，吕布部将郝萌暗通袁术造反，陈宫亦与通谋。吕布因其为大将，置诸不问。则陈宫似乎是一个反复无信义的人。但《英雄记》的话亦难于全信。

至于张邈，《三国志》说因袁绍和他不和，叫曹操杀掉他，曹操不听，而张邈疑惧曹操终不免要听袁绍的话，因此就和陈宫同反，这话也不近情理。

总而言之，历史上有许多事情，其内幕是无从知道的。因为既称内幕，断非局外人所能知，而局中人既身处局中，断不肯将其真相宣布。除非有种事情形迹太显著了，太完备了，才可以据以略测其内幕，此外则总只好付诸阙疑之列了。陈宫、张邈为什么要叛曹操，似乎也只好付诸阙疑之列。然而这确是当日东方兵争史上重要的一页。

汉献帝五年夏，曹操东征徐州，张邈、陈宫叛迎吕布。兖州郡县到处响应，曹操后方的大本营，此时由荀彧、程昱主持，只保守得鄄城（在河南省濮阳东）。此外则只有范（今河南省范县）、东阿（今山东阳谷县阿城镇）两县固守不下。此时确是曹操生死存亡的一个关头。倘使其大本营而竟为吕布所破；或者曹操还救，而其主力军队竟被吕布所粉碎；则徐州未得，兖州先失，曹操就要无立脚之地了。幸得三县固守，而曹操东征的兵力也还强盛，乃急急还救。此时吕布屯兵濮阳，《三国志·魏志·武帝纪》说，曹操说："吕布一旦得一州，不能据东平（汉郡，今山东东平县），断泰山、亢父（今山东济宁县南）之道，乘险要我，而乃屯濮阳，吾知其无能为也。"遂进兵攻之。这话亦系事后附会之辞。吕布的军队是颇为精锐的。他大约想诱致曹操的兵，一举而击破其主力，所以不肯守险。果然，战时，吕布先用骑兵去攻青州兵。青州兵摇动了，曹操阵势遂乱，给吕布打败。这就是《演义》上渲染得如火如荼的濮阳城温侯破曹操一役。然曹操兵力本强，又是善能用兵的人，断不至于一败涂地。于是收兵再进。相持百余日，这一年，蝗虫大起，谷一斛卖到五十多万钱。汉朝的一斛，相当于现在的二斗，谷价廉贱时，一斛只卖三十个铜钱。现在卖到五十多万钱，是加出两万倍了。物质缺乏如此，军队安能支持？曹操只得把手下的兵遣散一部分。吕布也只得移屯山阳（汉郡，今山东金乡县）。如此，吕布的攻势就顿挫了，旷日持久，自然于曹操有利。到明年，吕布就为曹操所击破，此时陶谦已死。刘备初与田楷同救陶谦，就离田楷归陶谦，屯于小沛（今江苏沛县）。陶谦死时，命别驾糜竺往迎刘备为州牧。刘备遂领有徐州，吕

刘备像

布为曹操所破，就去投奔刘备。刘备也收容了他。

刘备的才略自然非陶谦之比。倘使他据徐州稍久，未尝不可出兵以攻击曹操，倒也是曹操一个劲敌。苦于他旧有的兵力和徐州的兵力都太不行了。而才得徐州，袁术又来攻击。袁术本来是和刘备站在一条战线上的，论理他这时候该和刘备联合以攻曹操。他却贪图地盘，反而进攻刘备。刘备和他相持，吕布又乘虚以袭其后。刘备腹背受敌，只得逃到现在的扬州，遣人求和于吕布。吕布也要留着刘备以抵御袁术，就招他还屯小沛。于是徐、扬二州，因刘备、吕布、袁术三角式的相持，不足为曹操之患，曹操就得以分兵西迎献帝了。

曹孟德移驾幸许都

诸葛亮隆中之对，有一句话说：“今曹操已拥百万之众，挟天子以令诸侯，此诚不可与争锋。”这句话，是人人知道的。挟天子以令诸侯，大家都以为是曹操胜利的一个条件了。其实亦不尽然。

中国从前的皇帝，实际上并没有什么号召力。除掉异族侵入时，大家把他看做民族国家的象征之外（明朝的皇帝昏庸暴虐的很多，清朝时候，秘密社会里，却持反清复明的宗旨很久，就是为此），这一座宝位不论谁坐都好。自食其力的百姓，何苦要帮这一个、打那一个呢？

即如前汉为王莽所篡，后来光武帝兴起，还是前汉的子孙。而且王莽末年起兵的，真正汉朝的子孙和冒充的汉朝的子孙，光武以外还有好几个。大家就都说人心思汉，所以起兵的都要推戴汉朝的子孙，或假托汉朝的子孙，以资号召了。其实哪有这一回事？要是人心真个思汉，为什么王莽篡汉时，除掉几个姓刘的和一个别有用心的翟义之外，再没有人起而替汉朝抱不平？倒是王莽灭亡时，还有许多人对他效忠、替他尽节呢？然则把王莽说得如何坏，又说当时海内的人心如何思汉，怕只因写《汉书》的班固本是汉朝的亲戚；他又是一个无识见的人，根本不懂得历史是国民的公物，而只把他看成一家的私物罢？（《汉书》也是一部大家崇奉的名著。其实班固这个人是无甚识见的，根本不配写历史。只要看《汉书》的末了一篇《叙传》，就可以知道。《汉书》的所以被人崇奉：① 由中国人崇古的观念太深。② 由古书传世的少了，没有别的书同他校勘，其弱点不易发见。这是一切古书都是这样的，不独《汉书》。《汉书》中自然也有一部分好东西，这是由于作史的总是把许多现成材料编辑而成，并非一个人所作，根本不是班固一人的功劳。）

班固像

然则说三国史事，一定

要把蜀汉看做正统，魏、吴看做僭窃，也不过是一种陈旧的见解罢了。就说曹操的成功，和挟天子以令诸侯有多大的关系，也是一个不正确的见解。试问当时因曹操挟天子而归顺他的，到底是哪一个？刘备、孙权不就是明知其挟天子而还要和他抵抗的么？然则曹操的所以不可与争锋，还是拥百万之众的关系大，挟天子以令诸侯的关系小。曹操所以能有相当的成功，还是因其政治清明，善于用兵，和挟天子以令诸侯，根本没有多大的关系。

虽然如此，所谓皇帝，在事实上如其略有可以利用之处，想做一番事业的人还是要利用他的。这不过是政治手腕的一个方便，以利用为便则利用之，以推翻为便则推翻之罢了。这在汉献帝初年，本来有两条路可走。当东方州郡起兵讨伐董卓之时，别立一君，而否认了汉献帝，本亦无所不可。所以袁绍就想走这一条路，因刘虞的不肯做傀儡而未能成功。到曹操平定兖州之后，要出来收拾时局，这时候的形势，利用汉献帝却比推翻汉献帝便利些。所以曹操就走了后一条路了。

曹操的打退吕布，平定兖州，事在汉献帝兴平二年（195），即献帝即位后的第六年。这一年冬天，献帝逃到河东。其明年，为建安元年（196），即献帝即位后的第七年。七月里，献帝回到洛阳。这一年春天，曹操早就打平了现在的淮阳，和洛阳的形势更为接近了。献帝在洛阳，为什么不能自立，一定要叫一支外兵进来呢？说是为饥荒，这句话是似是而非的。饥荒是要望人家来进贡的，用不着带兵来。带了兵来，粮食、赏赐只有格外竭蹶。然则这时候所以要召外兵，还是在中央的几个人势均力敌，不能够互相吞灭，而要召外兵以为援罢了。

《三国志·吕布传》注引《英雄记》，说汉献帝在河东时，曾有诏书叫吕布去迎接他。这一道诏书不知是谁的意思？据事迹推测起来：张杨和吕布是要好的。这时候，张杨业已遣人进贡，汉献帝很得他接济之力。这个主意出于张杨，也很有可能。吕布在这时候，正苦于漂泊无归，找不到一个地盘。而他是诛董卓有功的人，在中央也有相当的历史。倘使带兵勤王，倒也名正言顺，在于他，实在是一个好机会。苦于吕布的军队太穷困了，连开拔费都筹划不出来。因此没有能去。

后来汉献帝又靠张杨帮助之力，才得回到洛阳。这时候，驻扎在京城里的，是韩暹和董承二人。张杨仍在河内，杨奉则驻扎在河南的商丘县。他的兵在诸人中最强。韩暹和董承争权。董承便去勾引曹操，叫他进京。曹操这时候既然平定了兖州，落得再向西南发展，平定豫州，把洛阳也收入自己势力范围之内。要达到这个目的，推翻汉献帝，自不如拥护汉献帝为便，所以曹操就走了勤王的一条路。这正是我所说的政治手腕上的一个方便，可以利用则利用之。

勾结着曹操去勤王，只是董承一个人的意思。其余诸人有没有问题呢？韩暹大约不足顾虑。杨奉有强兵，张杨是一郡的太守，而且献帝从河东到洛阳，一路得其接济之力。他的举动是比较成气候一些的。倘使要和曹操反对，也是一个小小的阻力。固然，曹操的兵力不会怕这两个人，但能不打总是不打的好。竞争的时候，人人都想保存实力，谁肯妄耗实力呢？好在当这时候，曹操对这两方面都有相当的接洽。

原来这时候，有一个人唤做董昭，本是袁绍手下的人。因为袁绍听信了人家的话，要想加罪于他，他就想走向中央政府去投效。路过河内，被张杨留了下来。这时候，汉献帝尚在河东。曹操也派人去进贡。路过河内，也被张杨所阻。董昭知道曹操的做事是最为有望的，便替他运动张杨，放他的使者过去。后来张杨连董昭也放走了。董昭到了河东，献帝拜为议郎，就做了中央政府的官。这时候，董昭对于曹操，大约抱有很大的希望。所以运用机谋，到处替他开通道路。董昭知道杨奉的兵最强，却没有党羽，他的意思一定希望拉帮手的，就替曹操写了一封信给杨奉，说“现在的局势，不是一个人独力所能平定的。最好你在内中做主，我做你的外援。而且你有的是兵，我有的是粮，我可以供给你。我们两个人正好合作”。杨奉得书大喜。于是曹操进京勤王的阻力，全然除去了。

献帝还洛阳未久，曹操也就到了洛阳。董昭又对他说：“在这里，人多主意多，由不得你一个人做主。不如把皇帝搬到许县（今河南许昌县），只说是洛阳饥荒，为就粮起见。到那里，就离你的兖州近，脱出了这班带兵的人的势力范围了。”曹操说：“这真是好主意。但杨奉怎肯安然放我们过去呢？”董昭说：“杨奉勇而无谋。我们只要再写封信敷衍他，而且送他些礼物。到他觉悟，事已嫌迟了。”曹操又听了他，一面写信送礼物给杨奉，一面就把汉献帝搬到许县。果然，杨奉觉悟了，要想在路上拦阻，已经来不及了。

曹孟德移驾幸许都

曹操到了许县，立刻和杨奉翻脸，发兵去讨伐他。杨奉怎敌得曹操。此时韩暹亦已逃到杨奉处。只得两个人同去投奔袁术。后来合了袁术去打吕布。吕布又派人去运动他们倒戈，说我打仗所得的油水全给你们。二人欣然允诺，反和吕布合力，把袁术的兵打得大败。然而这种强盗般的行径，终究是站不住的。再后来，杨奉给刘备骗去杀掉。韩暹发急了，他本来是山西的强盗，要想跑回老家，在路上给人杀掉了。他的同党李乐，算是病死的。胡才为怨家所杀。李傕、郭汜一班人，郭汜是给自己的部将杀掉的。张济因没有给养，走到南阳境内，去攻击穰县（今河南邓县东南），为流矢所中而死。他的侄儿张绣，统领了他的兵，归附了刘表。建安三年（198），汉朝下诏书给关中诸将段煨等，令其讨伐李傕，把他三族都灭掉。于是从董卓以来，扰乱中央政府的一班人，大概完了。只剩得一个董承。董承本来是牛辅的余孽，哪里是什么公忠体国的人？他叫曹操进京，也不过是想借曹操的力量，排除异己罢了，哪

董国舅内阁受诏

里会真和曹操一心？所以后来，又有奉到什么衣带诏，说献帝叫他诛灭曹操之说。从董卓拥立之后，到曹操进京之前，这一班拥兵乱政的人的行径，献帝还领教得不足么？就是要除曹操，如何会付托董承呢？这话怕靠不住罢？曹操到这时候，势力已成，也不怕什么董承不董承了。所以董承一党人，徒然自取灭亡之祸。只有一个刘备，因在外面，是走脱的。这是后话。

曹操这时候，在名义上做了汉朝的宰相，实际上也得到了一大块地盘，是很有利益的。这一次的事情，得董昭的力量实在不小。董昭并不是曹操的谋臣策士，而如此尽力帮他，那是由于扰乱之际，顾全大局的人总要想大局安定。而要想大局安定，总要就有实力的人中拣其成气候的而帮他的忙。这是从来的英雄所以能得人扶助的原因。明朝的王阳明先生说："莫要看轻了豪杰。能做一番大事业的人，总有一段真挚的精神在内。"可见天下事一切都是真的，断不是像平话家所说，用些小手段可以骗人的啊！

袁绍和曹操的战争

袁绍是曹操的大敌。他不但地广兵强，在社会上声望很高，势力极大，即论其才具，在当时群雄中，亦当首屈一指。从袁绍败后，北方就没有人能和曹操抵敌的了，虽然并没有全平定。曹操的破袁绍，事在汉献帝建安五年（200）。《三国志·魏志·武帝纪》说："初，桓帝时，有黄星见于楚宋之分（古人有分野之说，把天文、地理都分划做若干部分，说那一部分天象的变动，主地面上那一部分的休咎，也是一种迷信之谈）。辽东殷逵善天文，言后五十岁，当有真人起于梁、沛之间，其锋不可当。至是凡五十年，而公破绍，天下莫敌矣。"这些话，固然是附会之谈，然而当时的人重视袁曹的战争，也就可想而知了。

怎说袁绍的才具并不算弱呢？读史的人都说袁绍地广兵强，而当曹操没有平定河南以前，不能起而与之争衡，坐令他破陶谦，平吕布，且收服了刘备，赶走了袁术，到他养成气力，挟天子以令诸侯，再要起来和他争衡，就难了。其实不然。

要和大敌争衡，先要后方没有顾虑。袁绍的地盘，是现在河北、山西两省，在建安四年（199）以前，问题正多着呢。别的且不论，公孙瓒就是到建安四年三月，才给袁绍灭掉的，而在建安三年的冬天，吕布业已给曹操灭掉了。到四年的春天，河内太守张杨为其将张丑所杀，又有一个唤做眭固的，杀掉张丑，归附袁绍，曹操就进兵把他打破，这一年八月里，曹操进兵黎阳（汉县，在今河南浚县东北），旋又回兵，而分兵把守官渡（城名，在今河南中牟县东北）。此时曹操的兵力，业已达到河北了。袁绍从公孙瓒破灭以后，就派他的大儿子袁谭去守青州，第二个儿子袁熙去守幽州，又派他的外甥高幹去守并州，其布置并不算迟。

至于说他坐视曹操入居中央，挟天子以令诸侯，以至于己不利，则当时挟着一个天子，实际并无甚用处，在上一节中业经说过；而袁绍在曹操迁献帝许都之后，曾经挟着兵威，胁迫曹操，要令他把献帝迁徙到鄄城（汉县，在今山东濮城县东），置于自己势力范围之内。袁绍的本意，是要否认献帝的，此时又有此转变，其手段也不算不敏捷。曹操自然是不肯听的，因为曹操断不是虚声所能恐吓的；袁绍此时，既因河北内部尚有问题，不愿和曹操以实力相搏，自然只好听之而已。然而袁曹的成败，始终和挟天子与否无关，所以这也算不得袁绍的失策。

这时候，曹操的后方，也不是绝无问题的。其中最足为患的，就是屯扎在穰县（今河南邓县）的张绣。因为他的地势，可以南连刘表，是有接济的。然而张绣听了贾诩的话，却投降了曹操。贾诩所以劝张绣投降曹操，大约因兵力不足和曹操相敌，袁绍相隔太远，不能应援，刘表又系坐观成败之徒，未必能切实联合之故。《三国志·贾诩传》载他劝张绣的话：一是因曹操挟天子以令诸侯；二则袁绍兵多，你投降他，他未必看重，曹操兵少，你投降他，他必另眼相看之故；怕也未必确实的。张绣的投降，是建安四年十一月的事，到十二月，曹操就又进兵官

贾文和料敌决胜

渡了。

然而张绣之难甫平，刘备之兵又起。原来这时候，袁术在淮南，因其荒淫过甚，弄得民穷财尽，不能立脚，要想去投奔袁绍，打从下邳经过，曹操便派刘备去拦截他。刘备是有野心的，不肯服从曹操，他把袁术拦截回去，袁术又气愤，又穷困，病死了，他却和董承通气，说奉到了献帝的衣带诏，叫他们诛灭曹操，就在下邳起兵。把徐州刺史车胄杀掉，屯兵小沛。

曹操派刘岱、王忠去打他，都给他打败了。建安五年正月，董承等阴谋发觉，都给曹操杀掉，曹操立刻起兵东征。这件事，《三国志·魏志·武帝纪》上说："诸将皆曰：'与公争天下者袁绍也，今绍方来，而弃之东，绍乘人后，若何？'公曰：'夫刘备，人杰也，今不击，必为后患。袁绍虽有大志，而见事迟，必不动也。'郭嘉亦劝公。"曹操遂决计东行。《袁绍传》上说：曹操攻刘备时，田丰劝袁绍袭其后方，袁绍说儿子有病，不听。"丰举杖击地曰：'夫遭难遇之机，而以婴儿之病失其会，惜哉！'"这也是事后附会之谈。

曹操是善于用兵的人，后方决不会空虚无备；况且当时曹操也有相当的兵力，后方决不至于空虚无备。袁绍的根据地在河北，要袭击许昌，先要渡过黄河，渡过黄河之后，还有好几百里路，绝非十天八天可以达到。如其说轻兵掩袭，那是无济于事，徒然丧失兵力的。刘备初起兵，力量有限，未必能牵制曹操许久。这一点，曹操和袁绍都是明白的。曹操所以决计东征，也是为此。

接触之后，自然是刘备败了，便投奔袁绍。当时守下邳的是关羽，孤军自然难于抵抗，就暂时投降。关羽的投降，的确不是真降的，至于封金、挂印、过五关、斩六将等事，就都是演义上渲染之谈，无关宏旨的了。

关云长挂印封金

汉寿侯过五关斩六将

刘备在当时，兵力虽然不足，然而他是个有野心、有能力的人，倘使曹操和袁绍以主力相持，而刘备从后方捣乱，这确是一个大患，所以曹操要先把他除掉。刘备既败之后，曹操后方就无甚可怕的捣乱之徒了。

当时还有一个臧霸，本来是泰山一带的强盗。他是服从吕布的。曹操破吕布后，招降了他，就把青、徐二州的事情交给他。这时候，臧霸颇能出兵以牵制袁绍，所以曹操不怕袁绍从现在山东的北部进兵。不过臧霸的兵力，亦只能牵制袁绍不从这一路进兵而已，要想捣乱现在的河北，成为袁绍的大患，其兵力也是不够的。于是袁曹二人，不得不各出全力，在现在河南境内的黄河沿岸，决一死战。

颜良像

建安五年二月，袁绍派颜良等攻东郡太守刘延于白马（汉县，在今河南滑县东）城。袁绍带着大兵，进至黎阳。四月，曹操自己带兵去救刘延。荀攸因袁绍兵多，劝曹操引兵西向延津（黄河渡口，在今河南延津县北），装出要绕道袭击袁绍后方的样子。袁绍果然分兵而西。曹操就赶快引兵回来，派张辽和关羽先登，把颜良击斩。关羽就在这时候，封书拜辞曹操，走归刘备了。于是袁绍整兵渡河，攻击曹操。刘备和文丑先到。曹操又把文丑击斩。《三国志·魏志·武帝纪》说："良、丑皆绍名将也，再战悉禽，绍军大震。"颜良、文丑之死，曹操固然先声夺人，然而袁军的主力并没有动，胜负还是要决一死战的。

曹操破颜良、文丑之后，回兵官渡。袁绍便进兵阳武（今属河南原阳县）。彼此相持，直到这一年八月里，袁绍才慢慢地进兵，靠着沙堆扎营，从东到西，连绵好几十里。曹操也分兵和他相持。出兵决战，曹操的兵不利。袁绍就进攻官渡。在地面上筑起土山，地下掘了隧道，要攻破曹操的营。这时候，曹操的兵势是很危急的。论起防

美髯公千里走单骑

守来，曹操自然有相当的力量，然而兵既比较少，粮食又要完了，眼看着不能支持。

于是曹操写一封信给后方的荀彧，商议要退兵回许都。当时曹操的兵势既较袁绍为弱，倘使一动脚，袁绍乘机追击，是很危险的。所以荀彧的复信说："公以至弱当至强，若不能制，必为所乘。"又说："此用奇之时，不可失也。"这不过说退军决无全理，叫他不论什么险路，到此时也只得拼死干一干罢了。

《三国志》上所说的兵谋，大都是靠不住的。这大约因军机秘密，局外人不得而知，事后揣测，多系附会之谈，而做历史的人所听见的，也不过是这一类的话之故。独有荀彧这一封信，据《三国志》本传注引荀彧的《别传》载曹操表请增加荀彧封邑的表文，曾经郑重地说及。官文书不能伪造，可以相信其是真的。

我们因此可以窥见当时兵事形势的一斑。形势是不得不冒险了，险却怎样冒法呢？那还是只有在兵粮上想法子。当时袁绍有运粮的车子几千辆到了，曹操派兵袭击，把它尽数烧掉。然而还不能摇动袁军，这大约因袁军粮多，不止这一批之故。到十月里，袁绍又派车辆出去运粮。这一次，袁绍也小心了，派淳于琼等五个人带着一万多兵去护送。

据《三国志》说，袁绍手下有一个谋士，唤做许攸，性甚贪财，袁绍不能满足他，许攸便投奔曹军，劝曹操去袭击淳于琼。曹操左右的人都疑心他。只有荀攸、贾诩两个人劝曹操去。于是曹操带着马、步兵五千，夤夜前往。到那里，已经天明了。淳于琼等见曹操兵少，直出营门排成阵势。曹操向前急攻。淳于琼等退入营内。曹操就直前攻营，把营攻破，淳于琼等都被杀掉。这一次，曹操大概是舍生忘死，拼个孤注一掷的。

《三国志·魏志·武帝纪》说，袁绍听得曹操攻淳于琼，对袁谭说道："我趁这时机，把他的大营打破，他就无家可归了。"就派张郃、高览去攻曹操的大营，不能破。后来听得淳于琼被杀，张郃、高览就投降了曹操。

《张郃传》则说：郃闻曹操攻淳于琼，劝袁绍派兵往救。郭图说不如去攻曹操的大营。张郃说：曹操的营很坚固，攻他必不能破。袁绍不听，而听了郭图的话，只派些轻骑去救淳于琼等，而遣张郃和高览去攻曹操的大营。果不能破，淳于琼等却被曹操杀了。郭图觉得惭愧，反对袁绍说："张郃等闻兵败而喜。"郃等因此畏惧，就去投降曹操。这些话，也都是不实的。

淳于琼屯兵之处，名为乌巢，离袁绍的大营只有四十里。倘使来得及救援，袁绍不是兵少分拨不开的，何难一面派兵去攻曹操的大营，一面再多派些兵去救淳于琼等？曹操的兵不过五千，淳于琼等的兵已有一万，袁绍倘使再派马兵五千名去，也比曹操的兵加出三倍了，何至于还不能敌？倘使还不能敌，相隔四十里，续派大兵何难？何至淳于琼等还会被杀？可见曹操的攻淳于琼，是疾雷不及掩耳的。他所以只带马、步兵五千，正因兵多容易被人觉察之故。然则当时淳于琼等被攻的消息达到袁绍的大营时，怕早已来不及救援。派张郃、高览去攻曹操的大营，也不过无聊的尝试而已。袁绍连营数十里，而曹操能分兵和他相持，其兵数虽不如袁绍之多，亦必不能甚少。曹操攻淳于琼等，不过抽去五千人，何至于大营就不能守呢？据此看来，可见历史上所传的情节，多非其真，读书的人不可不自出手眼了。

劫乌巢孟德烧粮

淳于琼等既破，张郃复降，据《三国志》说：袁绍的兵就因此大溃，袁绍和袁谭都弃军而走，曹操大获全胜。这大约因袁绍的兵屯扎日久，锐气已挫，军心又不甚安宁，遂至一败而不可收拾。曹操的攻淳于琼，固然有胆气，也只是孤注一掷之举，其能耐，倒还是在历久坚守、能挫袁军的锐气上见得。军事的胜败，固然决于最后五分钟，也要能够支持到最后五分钟，才有决胜的资格哩。

《三国志·袁绍传》说：袁绍未出兵之前，田丰劝他分兵多支，乘虚迭出，曹操救左则击其右，救右则击其左，使其军队疲于奔命，百姓亦不得安业，不要和他决胜负于一旦。袁绍不听；颜良、文丑被杀之后，沮授又说：北兵数多而不及南兵之精，南兵粮草缺乏，财力不及北兵的充足，所以南军利在速战，北军利在缓战，宜用持久之计。袁绍又不听，以至于败。这两说也不确实。

沮授像

田丰的话，袁绍固然没有听，然而袁绍从四月里和曹操相持，直到八月里才进攻曹营，可谓已充分利用持久之计。当时曹操因军粮垂尽，议欲退还许都，就是袁绍持久之计的效验；不幸曹操的兵，实在坚固难于动摇，以致功败垂成罢了。至于袁绍既进兵，还是用稳扎稳打之博学计，则本来并不冒险，田丰之计听不听也无甚关系。所以说历史上的话，总是不可尽信，我们读书非自出手眼不可的。

袁绍兵败之后，当时北强南弱之势，遂变为南强北弱。然亦不过南强北弱而已，说曹操的兵力就可以一举而扫荡袁绍，那还是不够的。当时曹操乘势追击，冀州郡县多有投降曹操的。然袁绍回去之后，收合散兵，就又把降曹的郡县收复了。曹操的用兵是最精锐不过的，倘使力足扫荡河北，岂肯中途停顿？可见袁绍的兵力也还足以自守。不但如此，当袁绍未败之时，还分兵给刘备去攻略汝南（汉郡，治平舆，今河南汝南县）。汝南降贼龚都等就做了他的内应。可见袁绍对于扰乱曹操的后方，亦很注意。不过大军既败，此等游军就无甚用处罢了。

曹操既不能扫荡河北，就回兵许都。旋又出兵南征。刘备就逃奔刘表，龚都等都逃散了。这是建安六年（201）冬天的事。七年（202）春天，曹操又进兵官渡。这一年五月里，袁绍病死了。手下的人立了他的小儿子袁尚，因此和袁谭兄弟失和。然而曹操进攻，还没有能够把他打平。到建安八年（203）五月，曹操已把攻取河北之事，暂时搁起，回兵许都，八月里，出兵南征刘表了。

袁谭和袁尚，却因曹兵退去，自相攻击。袁谭被袁尚打败了，派人求救于曹操。曹操见机会不可失，才再回兵攻取河北。从建安九年（204）二月里攻击袁尚的根据地邺城（汉邺县，今河南临漳县），到八月里才攻下。袁尚是本来在外面的，逃到中山（今河北定县）。此时袁谭已乘机占领了冀州的东部，就去攻击袁尚，袁尚逃到故安（汉县，今河北易县东南）去，依靠袁熙。曹操突然又和袁谭翻脸了。建安十年（205），在南皮县（今河北南皮县）地方把他攻杀。袁熙、袁尚逃入乌丸。

乌丸亦作乌桓，乃是一种异民族，在现今热河、辽宁境内的，屡次侵犯边界。建安十一年（206），曹操筹划出兵去征伐他，在现在河北的东北境辟了两条水路，以便运粮。十二年（207）七月里出兵，因沿海大水，道路不通。先是刘虞被公孙瓒所杀，他手下的田畴，立意要和他报仇，就带着宗族，入居徐无山中（在今河北遵化县西）。避难的人民依附他的很多。田畴替他们立起章程，申明约束，居然很有条理，北边都很信服他。曹操出兵时，把田畴也招罗在军中。田畴说：旧北平郡之北，本来有一条路，出卢龙塞到柳城去的（这是从今遵化向东北出龙井关的路。柳城，汉县，在今辽宁兴城县西南）。从后汉以来，路绝不通，然而还有些痕迹。倘使从这一条路出兵，攻其不备，一定可大获全胜的。曹操听了他的话，就从这条路出去。果然一战而杀了三个乌丸的酋长，剩下来一个，和袁熙、袁尚逃到辽东。当时的辽东太守是公孙康，也是要据地自立的，袁熙、袁尚的资格岂能服从他？所以有人劝曹操进兵辽东，曹操就逆料他们不能相容，径从柳城回兵。果然公孙康把袁熙、袁尚的头送来了。到此，袁氏才算全灭。

从建安四年袁曹交兵至此，前后共历九年，和曹操的破陶谦、吕布、袁术等，前后不过两三年的，大不相同。所以说袁绍确是曹操的一个劲敌。

赤壁之战的真相

赤壁之战，是三国史事的关键。倘使当时没有这一战，或者虽有这一战而曹操又胜了，天下就成为统一之局而不会三分了。所以这一战，实在是当时分裂和统一的关键。

要知道赤壁之战的真相，先要知道当时曹、刘、孙三方面的形势。

刘备是个有领袖欲的人，他是不甘心坐第二把交椅的。所以当他和曹操联合破灭吕布之后，他很可以依附曹操，做一个资深望重的大员了。他却不肯甘心，又和董承勾结，反叛曹操。到被曹操打败了，则始而投奔袁绍，继而投奔刘表。这时候，他和曹操业已成为不可复合之势。简单明了些说，他若再投降曹操，曹操必不能容他，而他也绝不会是真心的。所以他对于曹操，无论兵势如何，总是要抵抗到底的。

至于孙权，情形就大不相同了。我们要说到孙权，又得先

孙权像

说到他的哥哥孙策。孙坚有四个儿子：大的唤做孙策，第二个就是孙权，第三个唤做孙翊，第四个唤做孙匡。孙坚是和袁术联合的，他死了之后，他的儿子自然是依靠袁术。孙策也是个轻剽勇敢的人，大有父风。袁术看他不错，就把孙坚手下的人都还了他。他曾替袁术打过好几次仗，都是胜利的，袁术是个赏罚不明、不能用人的人，派他出去打仗时，允许他战胜之后如何酬劳他，后来都不能实践。

孙策心中失望，觉得在袁术手下，一辈子没有出路，就自告奋勇，愿去平定江东。江东就是江苏省里长江以南的地方，现在称为江南，古人却称为江东，而把对江之地，称为江西。古人所说的江南，是现在湖南地方。这是闲话，搁过不提。后汉时，江东西同属扬州。扬州刺史本来驻扎在寿春，就是现在安徽的寿县。这时候，寿春给袁术占据了，扬州刺史刘繇只得寄治在曲阿，在现今江苏省丹阳县地方。虽然兵力有限，也还能和袁术相持，袁术一时不能吞灭他。到孙策渡江而东，情形就大不相同了。孙策是最剽悍善战的，一渡江，就把刘繇打败，刘繇逃到现在江西的湖口，不多时就病死了。于是从江苏到江西沿江一带，全成为孙策的势力范围。孙策就不再服从袁术，袁术称帝时，公然写信和他绝交了。

曹操在这时候，势力还顾不到江东，而且他和袁术是反对的，自然要拉拢孙策。于是表荐他，加他讨逆将军的称号，封为吴侯。

建安五年，曹操和袁绍正在隔河相持，孙策也要出兵渡江而北，不想还没有开拔，就给人家刺死了。你道是为什么呢？原来当孙策到江东时，有个吴郡太守（后汉分会稽郡所置的郡，治所即今江苏的吴县）唤做许贡，密表汉帝，说孙策骁勇，和项籍相像，该把他早些召回中央，不可听他留在江外，致成后患。孙策是立意要割据一方的，听得这个消息，很不高兴，就把许贡杀掉。许贡的门客，有几个潜伏在民间，想替许贡报仇。孙策最喜欢打猎，他骑的马又好，从人都跟随不上。这一次出去打猎，和许贡的门客狭路相逢，就给他们打伤，回来不久就死了。

孙策这一次的出兵，《三国志》本传说：他是要袭击许都，迎接汉献帝的，这也是痴话。曹操是善于用兵的人，虽然和袁绍相持，后方不会无备，上一节中业经说过了。江东离许都，比河北更远，孙策有多大兵力能去攻袭？别说不能战胜，能否达到，还是个疑问呢！孙策也是个善于用兵的人，有这样傻的么？况且挟着一个天子，实际上并无多大用处，前文也早经说过了。然则孙策的出兵，到底是什么主意呢？这里面，却有一段大家不很注意的故事。

当时有个沛相（汉朝的郡和王国，是一样的等级。王国治民之权在相），唤做陈珪，他是个归心中央的人，看得吕布和袁术一班人很不入眼。当袁术要想称帝，又替他的儿子向吕布的女儿求婚时，陈珪怕他们两人联合，更难平定，就去游说吕布，把他破坏了。又叫儿子陈登去见曹操，说吕布勇而无谋，反复无常，不可相信，要早些设法收拾他。曹操大喜，便拜陈登做广陵太守（广陵郡，本治现在的江都，此时陈登治射阳县，在今淮安东南）。临别的时候，握着他的手说道："东方之事，便以相付。"叫他暗中收合部众，预备做个内应。后来曹操攻吕布时，陈登曾带着本郡的兵，做曹兵的先驱。吕布灭后，汉朝因他有功，加给他伏波将军的名号。《三国志·陈登传》注引《先贤行状》，说他在这时候，慨然有吞灭江南之志。孙策的用兵，几于所向无敌，独有两次攻陈登，都是失败的。孙策心中甚为愤怒。他临死前的出兵，《三国志·孙策传》注引《江表传》，说他是想去攻陈登的，这大约是实情。

孙策用兵甚锐，这一次大举而来，假如不死而渡过了江，陈登能否抵抗，自然是一个问题。然而陈登不是像刘繇等武略不济的人，即使一时失败，必不至于一蹶不振，总还能收合余烬，求救于中央，或者和别一支兵马联合，和孙氏相持。况且孙策善战，陈登未必和他野战，还可用守势对付呢。所以陈登在广陵，确是孙氏的一个劲敌。现在孙策北伐未成，先已自毙，那是中央最好的机会了。曹操却把陈登调做东城太守（汉县，在今安徽定远县东南。此时临时设置太守）。于是隔江之地，就无能牵制孙氏的人，这是曹操的一个失策。到后来，再临江而叹，“恨不早用陈元龙之计”（亦见《先贤行状》。元龙是陈登的字），就迟了。

张昭像

孙翊的性质，最和孙策相像。孙策临死时，张昭等都逆料他要把后事付托给孙翊，他却把印绶佩在孙权身上，对他说：“举江东之众，决机于两阵之间，与天下争衡，卿不如我。举贤任能，各尽其心，以保江东，我不如卿。”这几句话，不知道真是孙策说的？还是后人附会？孙权足以当之而无愧，却是实在的。只要看他赤壁战时任用周瑜，袭取荆州时任用吕蒙，猇亭战时任用陆逊，就可知道了。孙策虽然长于战阵，然而平定江东，开创基业，也不是一味勇敢就能办得到的。或者他亦有些知人之明，所以把后事付托给他罢。孙权继任之后，一面整理现在江、浙、皖、赣之地，又频年出兵，攻击江夏（江夏郡在今湖北黄冈县）太守黄祖。到建安十三年（208），把黄祖杀掉。于是孙权的势力，达到现在湖北省的东南部，再向西，就可到现在的汉口，窥伺江陵和襄阳了。而曹操也在这一年进攻刘表。

周瑜像

刘表的性质，究竟是个文人。他只会坐观成败，图收渔人之利，而不会身临前敌，去攻城夺地。此等人物，在天下扰乱时亦足以保境息民，偷一时之安，到天下将定时，就没有立足之地了。建安十三年七月，曹操南征荆州。八月，刘表病死了。他大的儿子唤做刘琦，小的儿子唤做刘琮。刘表和他的夫人蔡氏，都心爱刘琮，要立他为后，古代亦称君主。刘琦觉得不安，去请教诸葛亮。诸葛亮对他说："君不见申生在内而危，重耳在外而安乎？"刘琦明白了。恰好黄祖为孙权所杀，就乘机请求外出，做了江夏太守。刘表死后，襄阳一方面立了刘琮。对于曹兵，自然无法抵御。九月里，曹操的兵到新野，刘琮就举州投降了。

诸葛亮像

这时候，刘备屯驻在襄阳对岸的樊城。他对于曹操，是不能投降，而又无从抵抗的，只得渡过汉水，西南而走。《三国志·先主传》说：他走过襄阳时，诸葛亮劝他攻击刘琮，荆州可取。他说："吾不忍也。"这话也未必确实。当时的襄阳，人心自然不定，攻破他自然是容易的，转瞬曹操的大兵来了，却如何能守呢？“诸葛一生唯谨慎”，怕不会出这种主意罢？

刘备于是再向南走。《先主传》说：刘琮的左右和荆州人，归附他的很多，到当阳时，人众已有十几万了，一天只走十几里路。这话或者有些过甚，却不是毫无影响的。因为要做事业，手下一定要有人。老百姓只要饱食暖衣，安居乐业，谁来管你们争天夺地的事情？一个光杆，到了什么地方，要发动该地方的民众替自己战斗，绝不是容易的，所以基本的队伍决不能弃掉。再加以荆州人不愿降北的，其数自有可观。而两汉三国时代，去古还近，社会的组织含有大家族的意味较多，做官、从军和避难的人，往往带着家族、亲戚走，所以其数之多如此。惟其这样，自然走不快了。

张翼德大闹长坂桥

曹操此时，颇有一举而肃清荆州的决心，于是发轻骑，一日一夜走三百里去追击他，追到当阳东北的长坂，追上了。刘备自然不能抵抗，就逃向夏口（就是现在的汉口）去依靠刘琦。

这时候的刘备，显然是日暮途穷。倘使没有人和他联合，大约只好逃向现在的湖南。汉时的湖南还未十分发达，在那里，也决然不能立足的。所以这时候的刘备真是末日将到了。而不期事出意外，却有个孙权来和他联合。

论起孙权的资格和他对曹操的关系来，都和刘备大不相同。

刘备虽然屡战屡败，始终没有得到一个地盘，这只是时运不济；他从灵帝末年起兵，在北方转战十余年，和曹操、二袁、吕布等都是一样的资格；而且素有英雄之名；当时确亦有一部分人归向他；所以曹操见了他，确亦有几分畏惧。

至于孙氏弟兄，虽在江东手创基业，然而当时江东之地，比较上还是无关大局的。所以大家心目中还不甚觉得有这么两个人。《三国志·张昭传》说，当孙策平定江东时，北方士大夫的信札，还是专归功于张昭的。《张纮传》说，孙策死时，曹操要乘机伐吴，张纮把他劝止了。曹操才表孙权为讨虏将军，领会稽太守，而以纮为会稽东部都尉（后汉会稽郡治今浙江绍兴。都尉是武职，称为某部都尉的，亦分管一部分之地，有治民之权），要令他“辅权内附”。所谓“辅权内附”，就是运动甚而至于胁迫孙权来投降。孙策死时，北方的问题多着呢，曹操如何会想到去伐吴？这句话也是不确的。但以张纮为会稽东部都尉，欲令“辅权内附”，这句话却该不诬。当时北方人心目中，看了孙权是怎样一个人，就可想而知了。曹操破了荆州，就想顺流东下，本来犯兵家之忌，贾诩曾经劝止他，而他不听，大概对于孙权，不免低估了些罢？然其所以低估之故，也是所谓资格限人，是极容易犯的错误，怪不得曹操了。

鲁肃像

刘表的死耗，达到江东，鲁肃便对孙权说：荆州是个紧要的去处，请借吊丧为名，去看看情形。如其刘备和刘表一方面的人没有嫌隙，我们就得联合他。如其彼此乖离，就得另打主意。孙权允许了他。鲁肃就溯江西上，走到汉口，听说曹操的兵已向荆州，鲁肃也昼夜兼程而进。走到南郡界内，听说刘琮已降曹操了，刘备向南奔逃，鲁肃就径迎上去，和他在长坂相会。劝刘备和孙权联合。刘备自然欢喜。而刘备手下的诸葛亮亦说：“事急矣，请奉命求救于孙将军。”于是鲁肃回去复命，诸葛亮从汉口东行，到现在的九江，和孙权相见。

这时候，在孙权一方面，就要决定降战之计。据历史上的记载，是这样的：孙权聚群下会议，大多数主张迎降。其理由是：① 曹操托名汉相，和他拒敌，似乎是反抗中央。② 曹操已得荆州的水军，又有步兵，水陆并进，并非专靠马队，所以长江之险，并不足恃。③ 则为众寡不敌。只有鲁肃不开口。孙权出去更衣，鲁肃却跟了出去。孙权知道他有话说，握着他的手道：“你要说什么呢？”鲁肃道：“刚才众人的议论，是要误你的，你别要听他。像我是可以投降曹操的，你却使不得。为什么呢？我在你手下，不过做个官儿，投降了

鲁子敬力排众议

黄盖像

曹操，官还是有得做的，你却怎样呢？”这几句话，正合孙权之意，孙权便表示采纳。这时候，周瑜因事到鄱阳去，鲁肃便劝孙权把他召回，共商降战之计。周瑜到了，就决定迎战。他的理由是：① 北方并未大定，加以关西还有韩遂、马超，曹操的兵决不能作持久之计。② 北方的人不善水战，荆州的人又非心服。③ 大寒之际，缺乏马草，天时亦不相宜。诸葛亮游说孙权的话，理由也大致相同，于是孙权就决意联合刘备，抵抗曹操了。派周瑜、程普为左右督，鲁肃为赞军校尉，去和刘备协力。

当时两方的兵力：大约北兵是十五六万，荆州的兵有七八万，合计共二十余万。刘备一方面，合水陆兵共有万人，刘琦手下的江夏兵，亦有一万。周瑜、程普的兵，《三国志》上有的地方说各有万人，有的地方又说共有三万，大率鲁肃手下还有些人，合计之共有三万。孙刘之兵，约在五万左右。两方的兵力，约系一与五之比。但在地利及军队的长技上说，南方的兵却是占了便宜的，而黄盖又进火攻之计，就在嘉鱼县赤壁地方，把曹兵打得大败。

三江口周瑜纵火

曹操果然不能持久，留曹仁守着江陵，自带大兵北归。周瑜又跟着攻击，曹仁守不住，只得把江陵也放弃了。于是长江流域无复北兵踪迹，而南北分立的形势以成。

赤壁之战，军事上的胜败，真相颇为明白，用不着研究。其中只有孙权的决心抵抗曹操，却是一个谜。读史的人，都给“操虽托名汉相，实为汉贼”两句话迷住了，以为曹操是当然要抵抗的，其中更无问题。殊不知这两句乃是周瑜口里的话，安能作为定论？何况照我所考据，曹操确系心存汉室，并非汉贼呢？然则孙权决心和曹操抵抗的理由何在？周瑜、鲁肃等力劝孙权和曹操抵抗的理由又何在？这系从公一方面立论，从私一方面说，也是这样的。

赤壁之战，曹操固然犯着兵家之忌，有其致败之道，然而孙、刘方面，也未见得有何必胜的理由。自此以后，曹操幸而用兵于关西、汉中，未曾专注于南方。倘使曹操置别一方面为缓图，尽力向荆州或者扬州攻击，孙权的能否支持，究竟有无把握呢？孙权和刘备不同。刘备投降曹操，曹操是必不能相容的，所以只得拼死抵抗。孙权和曹操，本无嫌隙，当时假使投降，曹操还要格外优待，做个榜样给未降的人看的。所以当时孙权假使迎降，就能使天下及早统一，免于分裂之祸；而以孙权一家论，亦系莫大的幸福；裴松之在《三国志·张昭传》注里，早经说过了。然则孙权的决意抵抗，周瑜、鲁肃的一力撺掇孙权抵抗，不过是好乱和行险侥幸而已。

《三国志·鲁肃传》说：鲁肃初到江东时，回东城葬其祖母（鲁肃是东城人），他有个朋友，劝他北归，鲁肃意欲听他，特到江东搬取家眷，周瑜却劝他，说从前人的预言，都说“代刘氏者必兴于东南”，劝他不要回去。又把他荐给孙权。见面之后，甚为投机。众人都退了，孙权独留他喝酒。谈论之间，鲁肃便说：“汉室不可复兴，曹操不可猝除，为将军计，唯有鼎足江东，以观天下之衅。”后来孙权称帝时，“临坛顾谓公卿曰：昔鲁子敬尝道此，可谓明于事势矣。”（《三国志·鲁肃传》）《张昭传》注引《江表传》又说：孙权称帝之后，聚会百官，归功周瑜。张昭也举起笏来，要想称颂功德。孙权却说："如张公之计，今已乞食矣。"可见自立的野心，孙权和周瑜、鲁肃等，早就有之。赤壁之役，孙权聚众议论降战时，反说"老贼欲废汉自立久矣，徒忌二袁、吕布、刘表与孤"，不知帝制自为的，毕竟是谁？事实最雄辩，就用不着我再说了。

刘备取益州和孙权取荆州

赤壁一战，把曹兵打得连江陵都放弃了。此时益州还在刘璋手里，长江流域就全无北兵的踪迹；曹操要再图进取，其势并不容易；所以说经过这一战，而南北分立的形势以成。然而要说三分鼎足，还早呢，因为刘备的地盘太小了。

俗话有借荆州之说，说荆州是孙权的，后来借给刘备，这话是胡说的。荆州怎得是孙权的？后汉的荆州，东境到江夏郡为止，孙权直到赤壁之战这一年，才打破黄祖，还没有能据有其地，不过掳掠了些人民回去，做江夏太守的，依然是刘琦，怎能说荆州是孙权的呢？按照封建时代的习惯，谁用实力据有土地，就算是谁的，可以父子相传。如此，荆州该是刘琦的。所以赤壁战后，刘备便表荐刘琦做荆州刺史。但是话虽这样说，实际上能据有其地，还是要靠实力的。刘琦荆州刺史的名义，孙权虽不便否认，然而南郡是周瑜打下来的，还会将兵退出交给刘琦么？况且刘琦也不久就死了。事实上，当时长江从南郡以下，都给孙权的军队占据了。刘备则屯兵公安县，向现在湖南境内发展，把些地方都打下来了。然而地方毕竟太小，而且湖南在汉时还未甚开发，是不够做一个地盘的。

定三分隆中决策

大家都知道在诸葛亮未出茅庐时，就有所谓隆中（在湖北襄阳县西，据说是诸葛亮隐居之处）之对，他的意思是：① 曹操不可与争锋；② 孙权可以联合而不可以吞并；③ 只有荆州和益州是可以取为地盘的；④ 如其取得了，到天下有事的时候，派一员上将，从襄阳出南阳一路以攻洛阳，而刘备自己带着益州的兵，去攻关中，如此，就“霸业可成，汉室可兴”了。

这一篇话，近来读史的人因为他和后来的事实太相像了，疑心它是假的。确实，三国时代所谓谋臣的话，靠不住的太多了。这一篇话，我倒以为无甚可疑的。因为这是当时的

沈尹默书《隆中对》

大势如此，不容说诸葛亮见不到。但是荆州从襄阳以北的一部分，还在曹操手里。沿江一带的要地，又大半给孙权占去了。刘备在此时，只有觊觎着益州，然而益州是个天险之地，刘璋虽说无用，打进去也不容易。所以刘备在此时，还是局促不能发展。

孙权一方面，却打什么主意呢？其中才雄心狠的，第一个要推周瑜。

他的第一条主意，是趁刘备到现在的镇江去见孙权的时候，把他软禁起来，而把关羽、张飞等分开了，使他们不能联合，而在周瑜指挥之下，去和曹操作战。他这条主意，厉害是厉害的了。然而刘备被软禁之后，关羽、张飞等能否听周瑜的调度，却是一个大问题。军队是有系统的，尤其是封建时代的武人，全是效忠于主将的，是个对人关系。只要看曹操极其厚待关羽，而关羽还要逃归刘备，就可知道。吕布投奔刘备，刘备投奔曹操。在当时，刘备和曹操何难把他的敌人杀掉？不过因他们手下都是有人马的，一者未免心存利用，二者杀掉了一个人，他手下的还是要和自己反对的，剿抚两难，所以不得不敷衍、隐忍罢了。倘使当时竟把刘备软禁起来，关羽、张飞等怕不但不肯听周瑜的指挥，还会和他争斗起来，斗而不胜，便降附曹操，图报故主之仇，也是可能的。所以周瑜这条主意，太狠而不可行。

他第二条主意，便是合孙权的堂房弟兄孙瑜（孙静的儿子。孙静是孙坚最小的兄弟）去攻益州。攻取益州之后，留孙瑜守其地，而他自己回来和孙权共镇襄阳，以图北方。这条主意，却比较稳健了，至多攻益州无成，损失些兵马而已，所以孙权听了他。

周瑜就回江陵治兵，不想走到半路上病死了。孙权用鲁肃代他，带兵驻扎在陆口（现在的陆溪口，在湖北嘉鱼县西南）。这是建安十五年（210）的事。周瑜是个极端锋锐的人，鲁肃却稳重了，他是始终主张联合刘备以抵御曹操的，所以当他在任时，孙刘方面得以无事。

孙权在这时候，又打了一条主意。派人去和刘备说：要和他共攻益州。刘备和手下的人商量，大家都说可以许他，攻下之后，孙权终不能跨过我们的地方，去据有益州，益州便是我们的了。有一个人，唤做殷观，却说：“我们合孙权去攻益州，一定要先行进兵。倘使益州打不进去，退回来，难保孙权一方面的人不截我们的后路，这是很危险的。不如赞成他攻益州，而说我们的地方都是新定，兵不能动，请你自己去打罢。”如此一来，刘备倒好截孙权的兵的后路了，孙权自然也不会上当，就终于没有动兵。

在这种情势之下，益州本来可以偷安，不料刘璋却自己把刘备请进去了。你道是怎样一回事？原来刘焉从占据益州以来，始终和本地的人民不甚相合。他曾杀州内的豪强十几个人，以立威严。又招致了关中和南阳一带流亡的人民数万家，用其人为兵，称为东州兵，不免要欺凌本地人，所以本地的小百姓也不归附他。刘焉死后，他的儿子刘璋继位，有一个将官唤做赵韪的，就举兵造反。幸而东州兵想到自己的地位，全是依靠刘璋的，替他出力死战，总算把赵韪打平。然而这样上下离心，到底不是一回事。外面没有问题时，还可以苟安，有什么变动就难了。

建安十六年（211），曹操要去攻张鲁。这个消息传到益州，刘璋手下的张松就对刘璋说：“汉中是巴蜀的门户。倘使曹操占据了汉中，巴蜀就都危险了。而且蜀中诸将，像庞羲、李异等，都是靠不住的。刘备是你的同宗，善于用兵，又和曹操是冤家，不如招致他来，使他攻取张鲁，如此，曹操就不足虑了。”刘璋颇以为然，就派一个人名唤法正的，带着四千名兵去迎接刘备。这时候，张鲁本来不听刘璋的命令。刘璋之意，大概以为把汉中送给刘备，自己是不吃亏的，而刘备是不会投降曹操的，得他和自己把守北门，就可以不怕曹操了，原也不是没有打算。

张松像

然而天下没有好人，刘备进了益州之后能否听自己的命令呢？这一层，刘璋却没有打算到。张松、法正等都是些倾危之士，不恤卖主求荣的，就劝刘备夺取益州。刘备听了，正中下怀，便随法正入川。刘璋自到涪县（今四川绵阳县），和他相见。添给他许多兵马，还给了许多粮饷财帛，使他督率白水关（编者注：今属四川广

法正像

元县）的兵北攻张鲁。刘备此时，共有兵马三万，他却不攻张鲁，住在葭萌县地方（在四川昭化县东南），大施恩惠，以收人心。当刘备和刘璋在涪县相会时，张松、法正和刘备手下的庞统，都劝他就在相会时袭取刘璋。这样事出仓卒，川中的军民如何会服呢？所以刘备不听他们。

曹操想西攻张鲁，还没有进兵，却因此引起了韩遂、马超等的反叛。曹操亲自西征，虽然把他打破了，然而进攻张鲁之事，却亦因此而未能实行。

到建安十七年（212）十月，曹操又自己带兵去攻孙权。刘

韩遂像

马超像

备就对刘璋说：孙权差人来求救，我和他本来是互相唇齿的，不得不去救。况且关羽正在和乐进相持，倘使不去救，关羽败了，益州一方面也是要受到骚扰的。张鲁是只会自守，不足为虑的。请刘璋再借一万名兵，和军资器械，要想东还。刘璋给了他四千名兵，其余的东西都减半发给。这在刘备不过是借端需索，原未必真个东还，张松听得，却发急了，写封信给刘备，说大事垂成，何可舍之而去？张松的哥哥张肃，见他如此私通外敌，怕他连累于己，便把他举发了。刘璋便收斩张松。发命令给各关的守将，叫他们不得再和刘备往来。

刘备就借端装作发怒。庞统替他出了三条计策：上策是阴选精兵，径袭成都。中策是装作真个要东行，待白水关守将杨怀、高霈来送行时，把他捉住，吞并其兵，再行进攻成都。下策是退还白帝城（在四川奉节县东北），联合荆州的兵，再打主意。上策还是和在相会时袭取刘璋一样的，纵然解决了刘璋一个人，全川

庞统像

军民不服，还是要发生问题。看似解决得快，其实并不是真快，甚而至于枝节更多。至于下策，则竟是把入川的机会放过了。所以刘备采用了他的中策，趁杨怀、高霈来见，把他们拘留起来。刘备进了白水关，把关中的兵都收编了，而将其家属留作人质，进据涪县。刘璋派兵抵御，都非败即降。刘备进围雒县（今四川广汉县），这雒县是刘璋的儿子刘循守的，到底利害切身，守了一年，直到建安十九年（214）夏天才破，刘备就进攻成都。刘璋自知无力抵御，守了几十天，就投降了。于是刘备取得了益州，诸葛亮隆中的计划，达到了一半。

建安十七、十八两年，刘备和刘璋争持，马超也仍在关中反叛，所以曹操一方面进攻张鲁之事，始终未能实现。曹操这时候，是留夏侯渊在关中作战的。到建安十九年，刘备攻破了成都，夏侯渊也彻底铲除了马超，而且连凉州都打平了。

到建安二十年（215）三月，曹操就又进攻张鲁。这时候，孙权也派人去向刘备索取荆州。荆州该属于孙权的理由，是没有的。孙权的讨取，大概是像近代各军队一般，向人要求多让些防地给自己罢了。刘备当时大概也借口于军队的给养还是不够，就说等我得到凉州，再把荆州给你。孙权大怒，使吕蒙进占现在湖南的东部。刘备入川时，诸葛亮等一大班人本来都留在荆州的。后来刘备和刘璋翻脸，诸葛亮、张飞、赵云等，也沿着长江，打进四川，只留关羽一个人在荆州了。这时候，关羽也带兵到了现在湖南的益阳，刘备则统兵五万，从公安而下，打算和孙权方面争执一番。旋听得曹操攻汉中，乃和孙权平和解决，把荆州东西划分，从江夏向南属孙权，从南郡向南属刘备。刘备一方面派关羽驻扎在江陵。孙权一方面仍派鲁肃驻扎在陆口。江陵本是周瑜的防地，此时却正式属于刘备。所以这一个分划，刘备是占了些便宜的。刘备急急回川，听说张鲁已给曹操打败了，逃向巴中（汉朝的巴郡，治今四川江北县。刘璋分置巴东、巴西两郡，巴东治今奉节县，巴西治今阆中县）来，急忙派人去迎接。谁知张鲁已经

关羽像

赵云像

投降曹操了。曹操此时，仍留夏侯渊在汉中，派张郃帮助他。张郃便进犯巴中。倘使巴中失守，西川和荆州的交通，岂不被曹操截断？幸得张飞把张郃打败，退回汉中。

建安二十二年（217），鲁肃死了，孙权派吕蒙继任。吕蒙的性质，是和周瑜相像的。他主张派一支兵驻扎江陵，一支兵进驻白帝，再派一支兵沿江游弋，作为应援，而自己则进据襄阳。如此，自然非夺取荆州不可。孙权又和他商量：到底是夺取荆州的好，还是夺取徐州的好？他说："徐州不难夺取，但其地系平原，利于马队，非用七八万兵不能守，不如夺取荆州，全据长江，在军队的长技上，是利于南而不利于北的。"孙权很以为然。于是孙权一方面，夺取荆州的计划已定，只是待时而动；而刘备一方面，却没有知道。

吕蒙像

建安二十三年（218），刘备听了法正的话，进兵汉中。曹操也亲自西征，到了长安。

建安二十四年（219），刘备在沔县东南的定军山，把夏侯渊击斩。曹操亲自进兵。刘备收兵守住险要，始终不和他交锋。曹操无可如何，五月里，只得退兵。于是刘备又据有汉中，非常得意了。然而荆州方面，却就要有失意之事。

曹操平定汉中地

原来这时候，曹操方面，在荆州和关羽相持的是曹仁，屯兵樊城。建安二十三年十月，南阳守将侯音叛降关羽，曹仁回兵将他攻围，到二十四年正月里，把南阳攻破，把侯音杀掉了，而关羽亦于这一年进兵攻围樊城。七月里，曹操派于禁去助曹仁。八月，汉江水涨，于禁为关羽所擒。这时候，曹操一方面兵势颇为吃紧。大约因一部分兵还在关中，再调救兵，仓卒不易齐集，而且不免骚扰之故。我们试看当时曹操再派去救曹仁的徐晃，就是从关中调出来的可知，此时北方无衅可乘，哪里就能实行诸葛亮隆中之对，荆益两州同时并举？刘备使关羽出兵，大概意思还是重在关中方面，使他牵制曹操的兵力的。曹操的兵既已从汉中退出，进兵的目的可谓业已达到。即使曹操方面不再多派救兵来，孙权方面不因此而议其后；而顿兵坚城之下，也是兵家所忌，所以关羽这时候，究竟应该退兵，还是该决意攻取樊城？也是要斟酌的，而关羽执意不回，且因孙权方面更换守将，而把后方的兵调赴前线，就不能不说他勇敢有余，谨慎不足了。

孙权一方面，既然决意夺取荆州，这时候自然是一个好机会。于是吕蒙密启孙权，说关羽还留着好些兵在后方，大约是防我的。我时常多病，请诈称有病，回建业调养，等他放心些，好把后方的兵调赴前敌。孙权应允了他，吕蒙就回见孙权，保举陆逊，“意思深长，才堪负重，而未有远名，非羽所忌”，请用他做自己的后任。孙权也听了他。陆逊到任之后，写了一封信给关羽，辞气之间极其谦下。关羽果然放下了心，把后方的兵逐渐调赴前线。孙权乃亲自西

吕子明白衣渡江

行，派吕蒙做前锋，去袭取荆州。吕蒙到了九江，把精兵都伏在船里，装作商船的样子西上。走过江边关羽设有斥候队的地方，把斥候兵都捆捉了。所以孙权的兵西上，荆州不能早得消息。然而倘使关羽的后方没人叛变，总还有些抵抗力的。而守江陵的糜芳，守公安的士

关云长败走麦城

仁（《三国志·孙权、吕蒙传》和杨戏《季汉辅臣赞》都作士仁，唯《关羽传》作傅士仁，傅怕是衍字），又都和关羽不和，听见孙权的兵来，都投降了。于是关羽只得退兵。吕蒙既进江陵，约束军士，丝毫不得侵犯人民。对于跟随关羽出征的人的家属，尤其保护得周到。关羽的军心，就因此而乱，逐渐散去。关羽走到当阳东南的麦城，孙权派人去招降他，关羽诈称投降，带着十几个人逃走，被孙权伏兵所杀。

关羽这个人，是有些本领的，我们不能因他失败而看轻他。何以见得他有本领呢？一则，你留心把《三国志》看，自

刘备用兵以来，不分兵则已，倘使分兵，总是自己带一支，关羽带一支的，可见他有独当一面的才略。二则刘备从樊城逃向江陵时，是使关羽另带一支水军到江陵去的，后来和刘备在夏口相会。北方人是不善水战的，赤壁之战，曹操尚以此致败，而关羽一到荆州就能带水军，亦可见其确有本领。至其在下邳投降曹操后，曹操待他甚厚，而他还是不忘故主；却又不肯辜负曹操的厚意，一定要立些军功，报答了曹操然后去，也确有封建时代武士的气概。后人崇拜他固然过分，我们也不能把他一笔抹杀了的。可是他的久围樊城，在军略上终不能无遗憾；而《三国志》说他“善待卒伍而骄于士大夫”，糜芳、士仁之叛，未必不由于此，也是他的一个弱点。

关羽的败，是刘备方面的一个致命伤。因为失去荆州，就只剩得从益州攻关中的一路，而没有从荆州向南阳攻洛阳的一路了。从汉中向关中，道路是艰难的；魏国防守之力，亦得以专于一面；后来诸葛亮的屡出而无成，未必不由于此。所以说这是刘备方面的致命伤。

这件事情，如其就事论事，关羽的刚愎而贪功，似应负其全责。如其通观前后，则刘备的急于并吞刘璋，实在是失败的远因。倘使刘备老实一些，竟替刘璋出一把力，北攻张鲁，这是易如反掌可以攻下的。张鲁既下，而马超、韩遂等还未全败，彼此联合，以扰关中，曹操倒难于对付了。刘备心计太工，不肯北攻张鲁，而要反噬刘璋，以致替曹操腾出了平定关中和凉州的时间，而且仍给以削平张鲁的机会。后来虽因曹操方面实力亦不充足，仍能进取汉中，然本可联合凉州诸将共扰关中的，却变作独当大敌。于是不得不令关羽出兵以为牵制，而荆州丧失的祸根，就潜伏于此了。

不但如此，刘备猇亭之败，其祸机实亦潜伏于此时。为什么呢？伐吴之役，《三国演义》上说刘备和关羽、张飞是结义兄弟，他的出兵，是要替义弟报仇，这固然是笑话，读史的人

张飞像

桃园三结义

雪弟恨先主兴兵

说他是忿兵，也未必是真相的。因为能做一番事业的人，意志必较坚定，理智必较细密，断不会轻易动于感情。况且感情必是动于当时的，时间稍久，感情就渐渐衰退，理智就渐渐清醒了。关羽败于建安二十四年，刘备的征吴，是在章武元年（221）七月，章武元年，就是建安二十六年，距离关羽的失败已经一年半了，还有轻动于感情之理么？然则刘备到底为什么要去征吴呢？我说：这个理由，是和吕蒙不主张取徐州而主张取荆州一样的。大约自揣兵力，取中原不足，而取荆州则自以为有余。当时赵云劝他，说国贼是曹丕不是孙权，伐吴之后，兵连祸结，必非一时能解，就没有余力再图北方了。这句话，刘备是不以为然的，所以不肯听他。而他的不以为然，并不是甘心兵连祸结，和吴人旷日持久，而是自以为厚集其力，可一举而夺取荆州。殊不知吴蜀的兵力，本在伯仲之间，荆州既失，断无如此容易恢复之理。旷日持久，就转招致猇亭的大败了。然其祸根，亦因急于要取益州，以致对于荆州不能兼顾之故。所以心计过工，有时也会成为失败的原因的，真个阅历多的人，倒觉得凡事还是少用机谋，依着正义而行的好了。

替魏武帝辩诬

我现在，要替一位绝代的英雄辩诬了，这英雄是谁？便是魏武帝。

现在举世都说魏武帝是奸臣，这话不知从何而来？固然，这是受《演义》的影响，然而《演义》亦必有所本。《演义》的前身是说书，说书的人是不会有什么特别的见解的，总不过迎合社会的心理；而且一种见解，不是和大多数人的心理相合，也绝不会流行到如此之广的；所以对于魏武帝的不正当的批评，我们只能认为是社会的程度低下，不足以认识英雄。

魏武帝的为人，到底是怎样的呢？这只要看建安十五年十二月己亥日他所发的令，便可知道。这一道令，是载在《魏武故事》上面，而见于现在的《三国志》注里的。他的大要如下：

魏武帝是二十岁被举为孝廉的。他说："我在这时候，因为我本不是什么有名声的人，怕给当世的人看轻了，所以希望做一个好郡守。”的确，他后来做济南相，是很有政绩的，但因得罪了宦官，又被豪强所怨恨，怕因此招致“家祸”，就托病辞职了。

辞职的时候，他年约三十岁。他说：“和我同举孝廉的人，有年已五十的，看来也不算老，我就再等二十年，也不过和他一样，又何妨暂时隐居呢？”于是他就回到他的本乡谯县，在城东五十里，造了一所精舍（精舍是比较讲究的屋子。汉时读书的人，往往是住在精舍里的），想秋夏读书，冬春射猎，以待时之清。这可见得他的志趣，很为高尚，并不是什么热衷于富贵利达的人；而他在隐居之时，还注意于文武兼修，又可见得他是个有志之士。

后来他被征为都尉，又升迁做典军校尉，这是武职了。他说：“我在这时候，又希望替国家立功，将来在墓道上立一块碑，题为‘汉征西将军曹侯之墓’。”

不想朝政昏乱，并不能给他以立功的机会，而且还酿成了董卓之乱。他在这时候，就兴起义兵，去讨伐董卓。他说：“我要合兵，是能够多得的，然而我不愿意多，因为怕兵多意盛，和强敌争衡，反而成为祸始。所以和董卓打仗时，兵不过数千；后来到扬州募兵，也以三千为限。”

后来在兖州破降黄巾三十万，这是他生平做大事业之始。他又叙述他破平袁术、袁绍、刘表的经过，说："设使国家无有孤，不知当几人称帝？几人称王？"这句话，我们也不能不承认他是实话。

下文，他就说："人家见我兵势强盛，又向来不信天命（这是说做皇帝全凭本领、势力），或者疑心我有篡汉的意思，这是我耿耿于心的。从前齐桓公、晋文公所以为后人所称道，就因为他兵势强盛，还能够事奉周朝之故。周文王有了天下三分之二，还能够事奉殷朝，孔子称他为至德，我难道不想学他么？"他又引两段故事：

一段是战国时的乐毅。当战国时，燕国曾为齐国所灭，后来总算复国。这时候的燕王，谥法唤做昭王。他立意要报仇，任用乐毅，打破了齐国，攻下了七十多座城池。齐国只剩得两个城，眼见得灭亡在即了。乐毅因为要齐国人心服，不肯急攻。不想燕昭王死了，他的儿子燕惠王即位，素来和乐毅不睦，便派人去替代他。这时候，乐毅如回到燕国去，是必然要受祸的，乐毅就逃到赵国。乐毅去后，军心愤怒，齐国的名将田单，就趁此将燕兵打败，把齐国恢复过来了。后来赵王要和乐毅谋算燕国，乐毅伏在地上，垂着眼泪道："我事奉燕昭王，和事奉大王是一样的。我如其在赵国得罪，逃到别国去，我是终身不敢谋算赵国的奴隶的，何况燕昭王的子孙呢？”

又一件是秦朝蒙恬的故事。蒙恬的祖父，唤做蒙骜；父亲唤做蒙武，都是秦国的军官。蒙恬是替秦始皇造长城，带着兵，在现在陕西的北部防匈奴的。秦始皇死后，儿子二世皇帝即位，要杀掉蒙恬。蒙恬说：“从我的祖父到我，在秦朝算做可以信托的臣子，已经三代了。我现在带兵三十多万，论起我的势力来，是足以造反的。然而我宁死而不肯造反，那一者是不敢羞辱了祖父，二者也是不敢忘掉前代的皇帝啊！”蒙恬就自杀了。

魏武帝引此两段故事，说：“我每读到这两种书，未尝不怆然流涕。从我的祖以至于我，受汉朝皇帝的信任三代了，再加上我的儿子，就不止三代了，我何忍篡汉呢？我这些话，不但对诸位说，还对我的妻妾（魏武帝的妻，自然不会再嫁的，下文的话，实在是专对妾说的；不过一个字有时候不能成为一个词，就往往连用一个不相干的字。这一个字的意义，是当它没有的，不过取这一个音，以足成语调罢了。这一个例子，在古书中很多，古人谓之“足句”；足字也写作挟字。如《易经》上“润之以风雨”，雨可以润物，风是只会使物干燥的，这“风”字就等于有音而无义。就是其一个例子）

说。我又对她们说：我死之后，你们都该再嫁，想她们传述我的心事，使人家都知道。虽然如此，要我放下兵权，回到武平国（武平是汉朝的县，就是现在河南的鹿邑县）去，却是势所不能的。一者怕离了兵权，被人谋害，要替自己的子孙打算；再者，我如其失败，国家也有危险的；所以我不能慕虚名而受实祸。从前朝廷封我三个儿子做侯，我都力辞不受，现在倒又想受了。并不是还要以此为荣，不过要自己的儿子多建立几个国家在外，为万安之计罢了。”

令文所说，大略是这样。西洋的学者说：“政治不是最好的事情。”因为政治本来是社会上有了矛盾然后才有的，所以政治家所对付的，全是些贪婪、强横、狡诈的人，毫无手段是不行的。一个大政治家往往是一时代大局安危之所系。因为政治总是把这一种势力去压服那一种势力的，这虽然不必是战争，其性质实和战争无异。

政治上的首领，就和军中的主将一般，失掉了他，阵容是会散乱，甚而至于要崩溃的。所以一个政治上的首领，往往是敌方危害的对象。魏武帝说：“我失败了，国家也要有危险。”这句话，是不能不承认其有真实性的。

有人说：既然如此，所谓政治，总不过是把这一种势力，去压服那一种势力罢了，和不参加政治斗争的人，根本没有关系，又何必去帮这一方面压那一方面呢？殊不知政治的斗争虽非人人所能直接参加，政治的好坏是人人要受其影响的，并不能置诸不管。而各个人，只要能明于政治的好坏，也并不要丢掉自己的事情去做政治工作，只要站在自己的本位上，对于当时的政治家，或者帮助，或者制裁，就很可以决定他们的胜负了。因为政治看似另一件事情，实在是用社会的力量做基础，而多数人合计起来，其力量是非常伟大的。政治固然是两个阶级的斗争，然在一定时期内，总必有一个阶级，是代表国利民福的，我们于此，就不可漫无别白了。

政治上的斗争，既然和军队作战一般，则不但对于敌党的手段，有时是不得不然，即对于本党，亦是如此，因为要整顿阵容，就不能不把有害于团结的人除去，这正和军队里要讲军纪一样。所以政治家的功罪，只能问其根本上的主义如何，并不能摭拾着这一件事，或那一件事，用简单浅短的眼光去评论。譬如魏武帝的杀伏皇后，就是一个例子。这件事情，在建安十九年，据《三国志》说，是伏皇后曾写信给他的父亲伏完，说汉献帝因董承被杀，怨恨魏武帝，话说得很丑恶，这时候，这封信发觉了，所以魏武帝把伏皇后杀掉。

这句话很有可疑。凡做一番大事业的人，总是有人说好，有人说坏的，根本上没法子使个个人都说好，所以做大事业的人，总是把毁誉置之度外的。魏武帝难道是怕人家谤毁的人？要是有一封信说他的坏话，就要发怒而杀人，那他生平，不知道要杀掉多少人才够？所以当时的伏皇后，必是另有什么政治上的阴谋的，断不会因一封信骂魏武帝而被杀。至于说汉献帝因董承被杀而怨恨魏武帝，则董承并不是公忠可靠的人，我在第九节里，业经说过了。

《三国志》注引《曹瞒传》说：魏武帝派华歆带兵进宫去收捕伏皇后。皇后关了门，躲在墙壁里。华歆打坏了门，把墙壁也毁掉，将皇后牵了出来。这时候，献帝正和御史大夫郗虑同坐。皇后走过他的面前，握着他的手道："你不能救活我了么？"献帝说："我的性命，亦不知道在什么时候。"又对郗虑说："郗公！天下有这样的事么？"这些话，一望而知其是附会之谈，写《后汉书》的人，却把它采入《伏皇后本纪》里。于是后来的人，以为它见在正史

伏皇后为国捐生

上，一定是可靠的，编纂历史的人，也都采取它，就成为众所共信的事了。《曹瞒传》又说，伏完和他的宗族，死的有好几百个人。其实伏完是死在建安十四年的，离这时候已有五年了。即此一端，亦见得《曹瞒传》的不足信。

所以我说伏皇后的被杀，是一定另有政治上的阴谋的，不过其真相不传于后罢了。假定伏皇后的被杀，是别有阴谋，则魏武帝一身，既然关系大局的安危，自不得不为大局之故而将她扑灭。这正和带兵的不能因军中有一群人反对他而即去职，或自杀，置军队的安危于不顾一样。老实说：立君本来是为民的。如其本来的君主，因种种原因不能保护国家和人民，而另有一个能够如此，则废掉他而自立，原不算错，而且是合理的，因为这正是合于大多数人的幸福的呀！然而魏武帝当日，还始终不肯废汉自立，这又可见得他濡染于封建时代的道德很深，他对于汉朝，已经是过当的了。

后人诬枉魏武帝要篡汉的，是因为下列这几件不正确的记载：

其一《三国志·荀彧传》说：建安十七年，董昭等说魏武帝应该进爵为公，把这件事情和荀彧商量，荀彧说："魏武帝本来是兴起义兵，以匡辅汉朝的，不宜如此。"魏武帝因此心不能平，荀彧就忧愁而死。荀彧死的明年，就是建安十八年，魏武帝就进爵为魏公了。这话也明是附会。魏武帝真要篡汉，怕荀彧什么？况且进爵为魏公，和篡汉有什么关系？他后来不还进爵为魏王么？

其二是建安二十四年，孙权要袭取荆州，《三国志》注引《魏略》说：他上书称臣，而且称说天命，说魏武帝该做皇帝。魏武帝把信给大家看，说："是儿欲踞吾著炉火上邪！"踞是放肆的行为。魏武帝比孙权，自然辈行在先，所以称他为是儿，就是说这个小孩子。炉火上是危险之处。他说：这个小孩子，要使得我放肆了而住在危险之处，这明明是不肯做皇帝的意思。《三国志》注又引《魏氏春秋》说：夏侯惇对魏武帝说："从古以来，能够为民除害，为人民所归向的，就是人民之主。您的功劳和德行都很大，该做皇帝，又有什么疑心呢？"魏武帝说："若天命在吾，吾为周文王矣。"这正和他建安十五年的令引齐桓公、晋文公、周文王来比喻自己是一样，正见得他不肯篡汉。后来读史的人，反说他是开示他的儿子，使他篡汉，岂非梦呓？篡汉本来算不得什么罪名，前文业经说过了。

然而始终执守臣节，不肯篡汉，却不能不说是一种道德。因为不论哪一种社会，总有一种道德条件，规定了各人所当守的分位的。这种条件合理与否，是一件事，人能遵守这条件与否，又是一件事。不论道德条件如何陈旧，如何不合理，遵守他的人，总是富于社会性的。所以遵守旧道德条件的人，我们只能说他知识不足，不能说他这个人不好。因为道理的本质，总是一样的呀！魏武帝的不肯有失臣节，我们看他己亥令之所言，勤勤恳恳，至于如此，就可见得他社会性的深厚了。

魏武帝的己亥令，还有可注意的两端：

其一是他怕兵多意盛，不敢多招兵，这正和后世的军阀，务求扩充军队，以增长自己权力的相反。分裂时代的争斗，其祸源都是如此造成的。

其二是他老老实实说：我现在不能离开兵权，怕因此而受祸，不得不为子孙之计。又老老实实承认：想使三个儿子受封，以为外援。这是历来的英雄，从没有如此坦白的。天下唯心地光明的人，说话能够坦白。遮遮掩掩，修饰得自己一无弊病的人，他的话就不可尽信了。现代的大人物，做自传的多了，我们正该用这种眼光去判别他。

《三国志·郭嘉传》说：嘉死之后，魏武帝去吊丧，异常哀痛。对荀攸等说："你们诸位的年纪，都和我差不多，只有郭奉孝最小。我想天下平定之后，把事情交托给他，想不到他中年就死了。这真是命呀！"可见得他的本意，在于功成身退，后来不得抽身，实非初意，至于说他想做皇帝，或者想他的儿子做皇帝，那更是子虚乌有之谈了。人生在世，除掉极庸碌之辈，总有一个志愿。志愿而做到，就是成功，就是快乐。志愿而做不到，看似失败，然而自己的心力，业经尽了，也觉得无所愧怍，这也是快乐。志愿是各人不同的，似乎很难比较。然而其人物愈大，则其志愿愈大，其志愿愈大，则其为人的成分愈多，而自为的成分愈少，则是一定不移的。哪有盖世英雄，他的志愿只为自己为子孙的道理？说这种话的人，正见得他自己是个小人，所以燕雀不知鸿鹄之志了。

封建时代，是有其黑暗面，也有其光明面的。其光明面安在呢？公忠体国的文臣，舍生忘死的武士，就是其代表。这两种美德，魏武帝和诸葛武侯，都是全备了的。他们都是文武全才。两汉之世，正是封建主义的尾声，得这两位大人物以结束封建时代，真是封建时代的光荣了。

从曹操到司马懿

在晋朝五胡乱华的时候，有一个胡人，唤做石勒，据历史上记载，他有这样一段事情。有一次，他喝酒喝得醉了，对一个人唤做徐光的说道：“我可同前代哪一位开基的皇帝相比？”徐光恭维他道：“你比汉高祖、魏武帝都强。只有古代的轩辕帝，可以和你相比。”石勒笑道：“人岂不自知？你的话过分了。我如其遇见汉高祖，要北面而事之，和韩信、彭越争先。如其遇见后汉光武帝，该和他并驱中原，未知鹿死谁手。大丈夫行事，当磊磊落落，如日月皎然，终不能如曹孟德、司马仲达父子，欺他孤儿寡妇，狐媚以取天下也。”这一段话，是否真实，还未可知，就算是他说的，也不过是酒后狂言，毫无价值。后来读史的人，却把他看做名言，有许多人喜欢引用，因此就有许多人，把魏武帝和司马懿看做一流人物，这真是笑话了，魏武帝何尝有欺人孤儿寡妇之事来？

从魏武帝到司马懿可以说是中国的政局，亦可以说是中国的社会风气一个升降之会。从此以后，封建的道德，就澌灭以尽，只剩些狡诈凶横的武人得势了。

魏武帝死的一年，他的儿子魏文帝，就篡汉自立了。明年，刘备也在四川自称皇帝。这时候，只有孙权还称为吴王，到魏文帝篡汉后的十年，才自称皇帝，然而在实际上，东吴亦是久经独立的了，天下就分做三国。

翻开读史地图看起来，东吴的地方，也并不算小。他有现今江苏、安徽、湖北三省沿江的地方，又有湖南、江西、浙

曹丕像

刘备像

江、福建、广东、广西各省，较之曹魏尽有黄河流域，和湖北、安徽、江苏的汉淮二水流域的，并差不了许多。但是当时，南方开化的程度，还不及北方，人力财力都非北方之比，面积虽相差不多，实力却差得远了。至于蜀汉，只有今四川、云南、贵州三省，其中又只有四川是个天府之国，户口比较众多，财力比较雄厚，就更相差得远了。

魏朝据有这样好的地盘，论理，吴蜀二国，应该兢兢自守，还不容易。然而三国时代，也延长到六十年之久。这一因吴有长江之险，蜀系山岭之区，北方的人，不善水战，要攻入山岭之区，也不容易；一亦因魏国的内部还有问题。

魏文帝篡汉后七年而死。他的儿子曹叡即位，这便是魏明帝。魏明帝是很荒淫奢侈的，魏朝的基业就坏在他手里。他在位共十三年。死的时候，魏朝开国刚刚是二十年。魏朝的政局就在这时候起了一个变化。又经过十年，而政权全入于司

孙权像

马懿之手，离魏朝的篡汉，刚好是三十年。

当曹操做魏王的时候，设立了一个秘书令。魏文帝篡位之后，将秘书改称中书，设置了监、令两个官，用刘放做中书监，孙资做中书令。在文帝、明帝之世，足足做了二十年。这是帮助皇帝处理一切文书的官，地位很重要的。自然他们两个人都有相当的权力。人的脾气，有了权力总是不肯轻易放弃的。魏明帝虽继承文帝，任用刘放、孙资，又另有几只小耳朵（俗语，谓暗中使人侦察他人，或爱听他人的这类报告），像秦朗等一班人都是。明帝病重了，有权的人各想树立自己的党羽。明帝有两个儿子：大的封为齐王，唤做芳，小的封为秦王，唤做询。据《三国志》说，这两个都是明帝的养子，其真相究竟如何，我们也无从知道了。明帝病危时，齐王立为皇太子。还只有八岁，自然不会管事的，秦朗便保举魏武帝的儿子燕王宇辅政。刘放、孙资却保举了曹爽和司马懿。曹爽是曹真的儿子，曹真是魏武帝族中的侄辈，曹爽便是魏武帝同族的侄孙儿了。司马懿本是文官，在明帝手里才渐渐地带起兵来。此时他正削平了辽东回来。明帝病危时，自己做不得主，据说是刘放、孙资两个人强挟着他发命令的，把燕王、秦朗等都免官，而用曹爽和司马懿辅政。

燕王是个无用的人，罢免之后，也就完了。此后十年之中，就变做曹爽和司马懿的争夺。其初政权在曹爽手里。司马懿本来是太尉，曹爽等却把他转作太傅，表面上是尊重他，算他皇帝的师傅，实际上却夺掉他的兵权。司马懿便诈病，睡在家里不出来。在齐王即位后十年，曹爽跟随着他出去谒陵，司马懿却突然起来，运动了京

司马懿诈病赚曹爽

城里的军队，把城门关起来，要免掉曹爽的官，勒令他以侯还第。大司农桓范，是曹爽的一党，便诈传太后的命令，赚开了城门，逃到曹爽处。魏朝是建都在洛阳的，桓范劝曹爽把齐王搬到许昌，调外面的兵来，和司马懿作战。大司农是当时管财政的官，所以桓范说："大司农的印在我手里，粮饷是没有问题的。"曹爽却不肯听，接受了司马懿的条件，免官还第。司马懿却说黄门张当，曾将选择的才人（皇帝的妾的称号）给与曹爽，怕他还有别种情弊，便将张当捉来拷问。张当承认了和曹爽图谋造反。于是把曹爽、桓范、张当和曹爽的许多党羽都

杀掉。

这一件事情的真相，我们现在无从知之。所可猜测的，则司马懿卧病十年，忽然而起，京城里的军队，就会听他调度，可见他平时必和军队预有勾结。曹爽在名义上是大将军，军队都应服从他的命令的；他的兄弟曹羲是中领军，曹训是武卫将军，亦都是兵权在手的人；一旦有事，军队反而都为敌人所用，他们的为人，就可想而知了。

然而曹爽所用的，都是当时的名士。据《三国志》零头碎角的材料看起来，他们是颇有意于改良政事，厘定制度的，实可称之为文治派。文治派对于军队，自然不如武人接近的，要利用军队，自亦不如武人的灵活，曹爽和司马懿成败的关键，大概在此。从此以后，魏朝的文治派没落，只剩武人得势了。

在魏明帝时候，司马懿就带了军队，在关中方面和诸葛亮作战的，所以西方的军队，对他没有问题。东方的军队，就不服他了。齐王十二年，都督扬州诸军事王凌阴谋反对他，事机不密，为司马懿所知，出其不意地去攻击他。王凌措手不及，只得出迎。司马懿把他送回洛阳，王凌在路上服毒自杀。

这一年，司马懿死了，他的儿子司马师继居其任。到齐王的十五年，中书令李丰，皇后的父亲张缉，又密谋废掉司马师，用曹爽的姑表弟兄夏侯玄代他。又因事机泄漏，都给司马师杀了。司马师就废掉齐王，而立了魏文帝的曾孙高贵乡公髦。明年，扬州都督毌丘俭、扬州刺史文钦起兵声讨司马师。司马师自发大兵，和他相持。因兵力不敌，毌丘俭败逃，死在路上，文钦逃到吴国。这一次战事初起，司马师新割了眼上的一个瘤，创痛正甚，因为关系重大，不得已勉强自己带兵出去。战胜之后，回到许昌就死了。他的兄弟司马昭继居其位。

废曹芳魏家果报

再过了两年，扬州刺史诸葛诞又起兵讨伐司马昭。这一次，诸葛诞知道司马昭的兵力是不容易力战取胜的，所以联结东吴，取着一个守势。东吴发了兵和文钦一起去帮助他，又另行发兵以为救应。攻者不足，守者有余。况且还有了外援？倘使不能扑灭他，倒也是一个大患。司马昭乃又费了极大的兵力，把他围困起来。又分兵堵住了吴国的救兵。靠着兵力的

魏主归政司马氏

司马炎像

雄厚，居然把诸葛诞和文钦又打平。从此以后，魏国的武人，就再没有人能和司马氏反对了。

五年之后，高贵乡公自己带着手下的卫兵去攻击司马昭。那自然是以卵击石，万无侥幸之理。其结果，高贵乡公给司马昭手下一个唤做成济的人刺死。司马昭另立了燕王宇的儿子陈留王奂，自然是有名无实的了。于是司马昭要想篡位。要想篡位，当然先要立些功劳，蜀汉就因此灭亡。然而司马昭也没来得及做皇帝，篡位自立，是他儿子司马炎就是晋武帝手里的事了。

《晋书·宣帝（宣帝即司马懿）纪》说：晋朝的明帝，曾经问王导：“晋朝是怎样得天下的。”王导乃历述司马懿的事情，和司马昭弑高贵乡公之事。明帝羞得把脸伏在床上道：“照你的话，晋朝的基业哪得长久？”可见司马懿的深谋秘计，还有许多后来人不知道的，王导离魏末时代近，所以所知的较多了。而且他很为暴虐，他的政敌被杀的，都是夷及三族，连已经出嫁的女儿，亦不得免。所以做《晋书》的人，也说他猜忌残忍。他一生用尽了深刻的心计，暴虐的手段，全是为一个人的地位起见，丝毫没有魏武帝那种匡扶汉室、平定天下的意思了。封建时代的道德，是公忠，是正直，是勇敢，是牺牲一己以利天下，司马懿却件件和他相反。他的儿子司马师、司马昭，也都是这一路人。这一种人成功，封建时代的道德就澌灭以尽了。然而专靠斗力，究竟是不行的。互相争斗的结果，到底是运用阴谋的人易于得胜。所以封建制度的腐败和衰亡，也可以说是封建制度本身的弱点。

替魏延辩诬

三国的史事是大家都知道的，本来用不着我来讲。我现在所要讲的，只是向来大家弄错之处，我想要来矫正矫正而已。既然如此，我就还要想替一个人辩诬，那就是魏延。

魏延本来是以部曲（部曲本是军队编制的名目。《续汉书·百官志》说：大将军营分为五部，部下有曲，曲下有屯。后汉末，有些将校兵士，永远跟随着大将，就变做不直属于国家而属于这个将，带些半奴隶的性质。所以部曲的地位是颇低的）随先主入蜀的。因屡有战功，升迁到牙门将军。先主既得汉中之后，还治成都，要拔擢出一个人来镇守汉中，当时大家都以为要用张飞，张飞也以此自许，而先主竟破格擢用了魏延。关羽、张飞是先主手下资格最老的两员猛将，当时敌国的人亦都称他为万人敌的。先主从起兵以来，不分兵则已，要分兵，关羽总是独当一面的，第十二节中业经讲过了。此时关羽正在镇守荆州，再要找一个独当一面的人，以资格论，自然是张飞了。再次之则是赵云，随先主亦颇久。争汉中之时，赵云亦颇有战功，先主称他“一身都是胆”的。然而这时候要镇守汉中，先主却破格擢用了魏延，这就可见得魏延的才略。关羽、张飞都是长于战斗的。关羽攻曹仁，虽

魏延像

然终于失败，乃因受了孙曹两面的夹攻，而又外无救援之故。当时那种凌厉无前的气概，使曹操方面十分吃紧，那也不是容易的罢？当曹操平张鲁之后，张郃的兵，业已攻入巴中。使巴中而竟为曹兵所占据，强敌即逼近西川，蜀汉的形势，此时实亦万分吃紧，而张飞竟能够把张郃打退，这一场功劳，也不能算小罢？然则在当时，关羽、张飞所以威名播于敌国，易世之后，还有人称道弗衰，也不是偶然的。然而先主对于镇守汉中之任，竟不用张飞而用魏延，则魏延的将略，似乎还在关、张之上。大概关、张的将才，是偏于战斗，而魏延则要长于谋

略些罢？然则镇守荆州的，假使是魏延，或者不如关羽之以过刚而折，而半个荆州，也就不至于失陷了。这虽然是揣测之辞，似乎也有可能性。

魏延的谋略，从一件事情上可以见得。据《三国志》注引《魏略》说：诸葛亮出兵伐魏时，和手下的人谋议。魏延献计说："魏国的安西将军关中都督夏侯楙，是曹操的小女婿，既无智谋，又无勇气。你只要给我精兵五千，直指长安，他听得我去，一定要逃走的。他走后，长安就只剩些文官了。魏国东方的救兵要合拢来，还得二十多日，你的大兵也好到了。如此则咸阳以西一举可定了。"案诸葛亮第一次伐魏，在魏明帝太和二年（228）。这一次，魏国见蜀国久不出兵，以为他无力北伐，毫无预备。所以诸葛亮出兵，甚为得手。南安（今甘肃陇西县西北）、天水（今甘肃通渭县西南）、安定（今甘肃镇远县南）三郡都望风迎降。只因马谡失机，以致前功尽弃。以后出兵，虽然累战克捷，然魏国亦已有了预备，要大得志就难了。所以太和二年这一役，亦是魏蜀强弱的一个关键。据《三国志·夏侯惇传》注引《魏略》，夏侯楙免去安西将军关中都督之职，就是在这一年的，然则魏延的献计，亦就是这一年的事，倘使诸葛亮采用魏延之计，则魏延做了先锋。马谡亦是奇才，我们不能以成败论人，但谋略虽好，战斗的经验或者要缺乏些，所以不免有失，用魏延则无此弊，然则使诸葛亮采用魏延之计，看似冒险，或者转无马谡的失着，亦未可知。所以诸葛亮不用魏延之计，实在是可惜的，而魏延的将略，亦就因此可见了。

然诸葛亮虽不用魏延之计，而其军队精练，一切都依着法度，亦自有其不可及之处。他第一次虽然失败，以后又屡次出兵。魏朝尝派司马懿去抵御他。司马懿的用兵，亦有相当能力。他生平除掉和诸葛亮对垒之外，也总是胜利的。独至对于诸葛亮，则仅仅乎足以自守。这句话，是见在《三国志·诸葛亮传》注所引吴人张俨所著的《默记》里面。第三国人的话，比较要公平些。于此可见《三国志》里载诸葛亮伐魏之事，总不胜利，《晋书·本纪》里更说他每战辄败；只因《三国志》为晋人所著，《晋书》所根据的，也是晋朝人的史料，不足凭信罢了。诸葛亮每次出兵，都因粮运不继，不能持久，乃制造了木牛流马以运粮，又分兵屯田，为久驻之计。蜀汉后主的十一年，即魏明帝的八年（234），他屯田的兵，已经杂居渭水沿岸，逼近长安了，不幸患病身死。从此以后，蜀汉就更无力进取中原了。这固然不仅是军事一方面的问题，然而当时蜀汉的军队起了内讧，以致魏延身死，亦不能说不是一个损失。

陨大星汉丞相归天

据《三国志》说，诸葛亮病危的时候，和杨仪、费祎、姜维三个人密定了退兵的计划。这一次出兵，魏延本来是先锋，这时候却将他改作断后，而令姜维次之。魏延如不听命令，大军就径行开拔。诸葛亮死后，杨仪秘不发丧，派费祎去探问魏延的意思。魏延说："丞相虽死，我自活着在这里。相府里亲近的人和官属，自可将护他的棺柩回去安葬，我自当带兵击贼。如何因一个人之死，废掉天下的大事呢？况且魏延是什么人，要听杨仪的命令，替他做断后将？"就和费祎同拟一个计划，哪一部分的兵该退回去，哪一部分的兵该留下来，要费祎和他联名，把这命令传给各将领。费祎骗他道："杨仪是文官，不会部署军事，他决不会违反你的意思的，不如让我回去，再和他商量商量。"就骑着马快跑而去。费祎去后，魏延懊悔不该放他，再派人去追，已经来不及了。魏延派人去探看，杨仪等已经整军待发，打算把魏延一支兵留下来。魏延大怒，趁他们没有动兵，便带兵先发。杨仪等亦伐木开路，昼夜兼程，紧跟在他的后面。魏延的兵先到，据住了南谷口，派兵去攻击杨仪。杨仪派何平去抵敌。何平骂魏延先发的兵道："丞相死得没几时，你们何敢如此？"魏延的兵知道其曲在延，都不听他的命令，散掉了。魏延只和他的儿子以及另外几个人逃回汉中去。杨仪派马岱带兵去将他追斩了。这一段事情，一看而知其不是实在。

据注引《魏略》说：则诸葛亮病重的时候，是派魏延代理自己的职务，秘丧而归的。杨仪和魏延素来不睦，就扬言魏延要投降敌国，带着手下的人去攻魏延。魏延因出其不意，无从抵挡，只得带着兵逃走，就给杨仪追杀了。这话也不是事实。

诸葛亮在病危之时，预定退军计划，这一个命令，总是要传给全军的，岂有和杨仪、费祎、姜维私相计议，置先锋军于不顾之理？这岂像诸葛亮做的事情？若说诸葛亮的职务实系命魏延代理，则全军都在魏延统率之下，杨仪是文官，手下没有军队的，带着什么人去攻魏延？若说运动诸将，同反魏延，怕没有这样容易的事？况且据《三国志》说：当时魏延表奏杨仪造反，杨仪也表奏魏延造反，显然成了个两军对垒的形势，并不是从一军之中突然分裂而战斗起来的。然魏延是个名将，果使有了准备，派兵去攻杨仪，也断没有给何平一骂兵就被骂散了的情理。所以两种说法都不是事实。

这件事情的真相，依我推测，是这样的：诸葛亮病危时，并没有能够预定退兵的计划就死了。他死后，杨仪等密定了一个退兵的计划，怕魏延不听，派费祎去探问。魏延果然不肯听他们的部署，要自已另定一个计划，和费祎联名行下去。费祎哄骗他逃了回来。知道无可疏通，就把他置诸不顾，打算将余军径行开拔。这个消息又被魏延打听到了，乃趁他们没有开拔之前，先行开拔，把南谷口据住了。至此，两军遂不得不正式交战。魏延虽然勇猛，然所统率的，只有他的直属部队，就是做先锋军的，杨仪在诸葛亮幕府里，全军都在他调度之下，众寡不敌，所以魏延就给他打败了。至于说魏延的军队，给何平一骂就骂散了，不曾有剧烈的战斗，乃因内讧并非美事，所以又有些讳饰。这件事情的真相，似乎大略是如此。

蒋琬像

魏延既然死了，自然得

宣布他的罪状。当时所说的，大约是诬他要谋反降魏。所以《三国志》里有这样的几句话，说“魏延不北降魏而南还，乃是要除杀杨仪等，本意如此，不便背叛”，就是替魏延剖辨的。不过古人文辞简略，没有把当时诬他的话叙述清楚罢了。假使魏延真要造反，杨仪便有剿灭反叛的大功，回来后岂得不重用？然而不过做一个中军师，并无实权，诸葛亮的老位置，反给蒋琬夺去了（诸葛亮是丞相，蒋琬的资格，是不够做丞相的，但以录尚书事而兼益州刺史，其实权就和诸葛亮无大异）。这件事，《三国志》上说：诸葛亮生时就密表后主，说我若死了，便将后事交给蒋琬。这也不是实情。诸葛亮的做事，是很积极的。他在生前，似乎并没有预料到自己要死。假如他预料到自己要死，那可先行布置的事情多着呢。以他的地位声望，一切公开嘱咐了，也不怕什么人反对，而且可使身后的事情更形妥帖，何至于密表后主，只保荐了一个蒋琬呢？《三国志·蒋琬传》说：诸葛亮死后，新丧元帅，远近危悚，蒋琬处群僚之右，既无戚容，又无喜色，神色举动，和平时一样，众人因此渐服，可见得蒋琬初继诸葛亮的任时，众人还不很信服他。假使诸葛亮生前预行指定他为自己职务的后继人，就不至于此了。以诸葛亮的公忠体国，心思细密，岂有想不到这一层之理？蒋琬和杨仪，向来所做的事情是差不多的，而杨仪的职位和资格，还在蒋琬之上。不过杨仪是锋芒毕露的，大家有些怕他，蒋琬却是个好好先生，人家容易和他和睦，所以诸葛亮的位置就给蒋琬抢去了。杨仪自然不服，口出怨恨之言，以致得罪而死，这事无甚关系，可以不必细述。然使魏延确系造反，杨仪确有诛灭反叛之功，则无论他如何不孚众望，人家将来要排挤他，当时总是要赏他的，断不能径置诸闲散之地，这也可见得魏延并没造反。

诸葛亮从太和二年以后，是不断地出兵伐魏的，太和二年，是入三国后的第九年。诸葛亮之死，在入三国后十五年。蜀汉的灭亡，是在入三国后四十四年。所以诸葛亮死后，蜀汉还有二十九年的命运。这二十九年之中，前十二年，总统国事的是蒋琬；中七年是费祎；后十年是姜维。蒋琬、费祎手里，都不甚出兵伐魏。姜维屡次想大举，费祎总裁制他，不肯多给他兵马。费祎死后，姜维做事才得放手些，然而亦无大功，而自己国里，反因此而有些疲敝。当时很有反对他的人。后来读史的人，亦有以蜀之亡归咎于姜维的用兵的，其实亦不尽然。

当时魏蜀二国，国力相去悬殊。灭蜀的一次，据魏国人计算，蜀兵总数共只九万，分守各地方的，差不多去其一半，而魏国分兵三路，诸葛绪、邓艾每路三万，钟会所带的兵又有十余万，兵力在两倍以上。所以蜀汉的形势，是很难支持的。既无退守的余地，就只得进攻，至少要以攻为守。诸葛亮的不断出兵，也是为此。从魏齐王芳之立，至高贵乡公的被弑，其间共计二十一年，即系入三国后之第二十一年至第四十一年，正是魏国多事之秋，蜀汉若要北伐，其机会断在此间，而其机会又是愈早愈妙，因为愈早则魏国的政局愈不安定。然此中强半的时间，都在蒋琬、费祎秉政之日，到姜维掌握兵权，已经失之太晚了。所以把蜀国的灭亡，归咎到姜维，实在是冤枉的。倒是蒋琬、费祎，应当负较大的责任。魏延伐魏之志，是比较坚决的。只看诸葛亮死日，他不肯全军退回，便可知道。如其诸葛亮死后，兵权在他手里，总不会像蒋琬、费祎那样因循的，虽然成败不可知。所以魏延的死，总不能不说是蜀汉的一个损失。

姜维和钟会

魏武帝亡殁了，继之而得志的，却是司马氏父子。忠君爱民的心地，光明磊落的行为，全都看不见了，所剩下的，只是些自私自利的心地，狡诈刻毒的行为，几千年来，封建社会的道德，真个就此完了么？不，任何一种社会现象，都没有突然而兴，也没有突然而绝的。虽然在其衰败垂绝之时，也总还有一两个人，出而为神龙掉尾的奋斗。这正和日落时的余晖一般，流连光景的人，更觉得其可爱了。

司马昭打平了诸葛诞，又杀掉了高贵乡公，就渐渐地可以图篡了。要图篡位，总得立些武功，于是决计伐蜀。这些话，上文中业经说过了。这时候的蜀国，却是什么形势呢？蜀国这时候，兵权算在姜维手里。但是费祎死后，后主所信任的宦官黄皓，渐渐弄权，要想排挤陷害他。姜维虽有武略，政治上的手腕似乎欠缺些，就不敢回成都，带着兵屯驻在沓中。这沓中在现今甘肃临潭县，就是从前的洮州的西边，未免太偏僻些了。

姜维像

当时魏国是分兵三路：邓艾、诸葛绪各带兵三万，邓艾牵制住姜维的正面，诸葛绪遮断了姜维的后路。钟会却带了十几万大军，从斜谷（编者注：今陕西眉县西南）、骆谷（编者注：今陕西周至县西南）两路并进。当魏延守汉中时，在汉中的外面设立了许多据点，派兵守住，敌人来攻，使其不得入内。后来姜维说："这种办法，虽然稳当，却也不能得利。不如把这些据点撤掉了，聚集兵粮，坚守汉乐两城（编者注：今陕西勉县东南）。敌兵攻城不破，又野无可掠，粮运不继，自然只得退兵。我们却各城的兵齐出，和游军会合，就好把他歼灭了。"这条主意，固然也是好的，然而把敌兵放入平地，究竟有些冒险。钟会既进汉中之后，分兵围困汉乐两城，自己直趋西南，把阳安关攻破。这阳安关，在嘉陵江沿岸，现今沔县（编者注：今勉县）的西南，宁羌县（编者注：今宁强县）的西北，乃是入蜀正面第一道关隘。阳安关既破，就只有现今四川昭化、剑阁两县间的剑阁可守了。当时姜维听得钟会大兵前进，自然要从沓中回来。邓艾牵制他不住，诸葛绪也阻挡不住他。然而阳安关已经不守了，就只得守住了剑阁。邓艾追赶姜维，到了现今甘肃的文县，就是汉朝所谓阴平道的地方。从此南下，经过平武县的左担山，就可以从江油、绵阳直向成都去的。这一条路，极其险峻，所以当时蜀国并不防备。邓艾要和诸葛绪合兵走这一条路进去。诸葛绪说本来的军令，只叫他堵截姜维，并没有叫他攻蜀，就引兵和钟会的大军会合。钟会密白他畏懦不进，魏朝把他槛车（罪人坐的车，有栏槛，防他逃走）征还，兵也并给钟会统带了。然而攻剑阁，却攻不进去。钟会无法，打算退兵了。不料邓艾的兵，已从阴平伐山开路，走了无人之地七百多里打进去。把诸葛瞻的兵打败了，直向成都。邓艾的兵，是能够进去，退不回去的，自然要拼命死战，其锋不可当。然而其实是孤军。假使后主坚守成都，这时候，剑阁并没有破，钟会的大军不得前进，邓艾外无救援，终竟要做瓮中之鳖的。然而后主不能坚守，竟尔投降。姜维在剑阁，听得诸葛瞻的兵被打败了。传来的消息，有的说后主要坚守成都，有的说他要逃向东吴，又有的说他要逃到现今的云南地方去。不知的实，乃引兵向西南退却。到了现在的三台县地方，奉到后主的命令，叫他投降魏军。姜维便到钟会军前投降。据《三国志》说，当时将士，接到投降的命令，都发怒得“拔刀斫石”，难道姜维倒是轻易投降的么？

邓艾得意非常，就十分夸口。对蜀国的士大夫说道：“你们幸而遇见我，所以身家性命得以保全。要是遇见吴汉（后汉光武帝时平蜀的将，曾大肆杀戮）一流的人物，就糟了。”又说：“姜维也是一个有本领的人，不幸遇着了我，所以敌不过罢了。”听的人都暗笑他，他自己也不觉得。他又表上魏朝，说：“刘后主一时不可把他内徙。要是把他内徙，吴国人看见了，疑心魏国待遇他不好，就不肯归降了。现在该留兵两万人在蜀，蜀国投降的军队，也留着两万，不要解散。再在四川大造兵船，做出一个伐吴的声势来。一面派人去晓谕吴国，吴国自然可不战而降了。只要把后主留在四川一年，那时候吴国归降，就可把他送到京城里。”当时邓艾在川中，诸事多独断独行，并不等魏朝的许可。司马昭派监军卫瓘去对他说，不宜如此。邓艾倒说：“《春秋》之义，大夫出疆，有可以安社稷、利国家者，专之可也。一味等待命令，以致误国，这件事我是办不到的。”这样一来，司马昭自然要疑惧了。钟会等人就乘机说他的坏话。于是魏朝又下诏书，槛车征还邓艾。怕他不听命令，叫钟会也进向成都。卫瓘在前，用司马昭的亲笔命令，晓谕邓艾手下的兵。邓艾手下的兵，此时只想望得些赏赐回家，谁来和邓艾造反？况且邓艾也本无反心，抵抗命令的事情，自然不是仓卒间可以结合的，于是邓艾手下的军队，都一无抵抗，把邓艾钉入槛车里去了。

钟会和姜维，很为要好。《三国志·姜维传》说他们“出则同舆，坐则同席”。邓艾被擒之后，钟会到了成都，所有伐蜀之兵，都在他一个人统率之下了。《三国志·钟会传》说：他这时候就有了反心。要叫姜维等带着蜀兵出斜谷，而自己带着大兵跟随其后。这时关中一方面，是没有阻碍的，可以唾手而得长安。既入长安，从渭水及黄河顺流而下，五天可到孟津（在今河南孟津县北），和骑兵在洛阳相会，一举而大事可定了。忽然得到一封司马昭的信，说：“怕邓艾不肯就征，已派贾充带了一万名兵进驻乐城，我自己带着十万兵驻扎在长安。相见在近，不再多说了。”钟会得书大惊。对亲近的人说道：“只取邓艾，司马昭知道我办得了的。现在自带大兵前来，一定是疑心我了。这事非速发不可。”恰好这时候郭太后（明帝的皇后）死了，钟会就诈传太后的遗诏，叫他起兵讨灭司马昭。召集北来诸将领，都把他们关闭在官署中，把城门宫门都关闭起来，要想都杀掉他们，还犹豫未能决断。他的帐下督丘建，本来是护军胡烈所荐的。看见胡烈独坐得可怜，替他请求钟会，许放他一个亲兵进来，传递饮食。钟会允许了。其余诸将领，也援例各放了一个人进来。胡烈对他的亲兵说，又写封信给他的儿子，说钟会要杀尽北兵。如此一传二，二传三，北来的兵都知道了，就同时并起攻城。被看守的人也都从屋上爬出去，各人回到自己的军队里，同时进攻。姜维和钟会手下的少数人，如何抵敌？就都给他们杀掉了。邓艾手下的将，听得钟会死了，追上去打破槛车，把邓艾放了出来。卫瓘一想不好，我是捉拿邓艾的人，放了他出来，他要报仇怎样？又派兵追上邓艾，把他杀死了。征西的两员大将，就是这样了结。

钟会为什么要造反呢？他是司马师、司马昭的心腹，人家称他为张子房的。司马师打破毌丘俭，司马昭打破诸葛诞，他的计谋很多。伐蜀的三路兵，邓艾是安西将军都督陇右诸军事，诸葛绪是雍州刺史，都是久在西方，和蜀国相持的，只有钟会是司马昭的心腹，所以大兵都在他的手里。这时候的司马氏，是不容易推翻的，他岂有不知之理？况且他也向来是个文臣，如何会忽有野心，想要推翻司马昭呢？我们看这个，就知他一定有大不得已的苦衷。

原来他是钟繇的小儿子，钟繇是替魏武帝镇守关中的。当汉献帝之世，关中反侧的人很多，凉州还有马超、韩遂，魏武帝能够专心平定东方，不以西顾为忧的，都是得他的力量。所以钟繇可以说受魏朝的恩典很深。钟会是个文人，很有学问的，不是什么不知义理的军阀，他要尽忠于魏朝，是极合情理的。所以钟会可说和王凌、毌丘俭、诸葛诞一样，都是魏朝的忠臣，并不是自己有什么野心。而他的谋略，远在这三人之上，亦且兵权在手，设使没有北兵的叛变，竟从长安而下，直指洛阳，这时候司马氏的大势如何，倒是很可担忧的了。

至于姜维，则又另有姜维的心理。《三国志·姜维传》注引《华阳国志》，说姜维劝钟会尽杀北来诸将，要等诸将已死之后，再行杀掉钟会，尽数杀掉北兵，然后恢复蜀国。他曾经写一封秘密信给后主，说："愿陛下忍数日之辱。臣欲使社稷危而复安，日月幽而复明。"又引孙盛的《晋阳秋》，说他到蜀中时，蜀中父老还说及此事。孙

破曹兵姜维诈献书

盛的入川，在晋穆帝永和三年，已在蜀汉灭亡之后八十四年了。蜀中父老的传说，固然未必尽实。譬如姜维在当时，能否和后主秘密通信？后主这种人，秘密通信给他何用？只有泄漏事机而已。只这一点，便有可疑。然而情节虽或不尽符合，姜维有这一番谋划，是理有可信的。因为他绝不是轻易降敌的人。而在当时，假使钟会不被北兵所杀，而能尽杀北来诸将，把一部分军队交给姜维，姜维反攻钟会，也很有可能的。注《三国志》的裴松之，就是这样说。姜维是天水郡冀县人，冀县是甘肃的甘谷县。凉州地方，是被曹操平定较晚的。姜维是诸葛亮第一次伐魏时，诣诸葛亮投降的。他本是天水郡的参军，所以要投降，据《三国志》说：是因天水太守疑心他要反叛之故。姜维绝不是轻易降敌的人，太守疑心他，他未必无法自明，就要真个降敌。姜维降蜀之后，诸葛亮写信给蒋琬等说他心存汉室，可见姜维本来是要效忠于汉而反魏的，太守疑心他，并没有错。

钟会的效忠于魏，姜维的效忠于汉，又可称封建道德之下的两个烈士了。

附录

孙吴为什么要建都南京[1]

［都邑的选择，我是以为人事的关系，重于地理的。南京会成为六朝和明初的旧都，这一点，怕能言其真相者颇少。读史之家，往往把史事看得太深了，以为建都之时，必有深谋远虑，作一番地理上的选择，而不知其实出于人事的推移，可谓求深而反失之。所以我在这里，愿意说几句话，以证明我的主张，而再附述一些我对于建都问题的意见。］

南京为什么会成为六朝的都邑呢？其实东晋和宋、齐、梁、陈不过因袭而已。创建一个都邑，不是一件容易的事情；又当都邑创建之初，往往是天造草昧之际，人力物力都感不足，所以总是因仍旧贯的多，凭空创造的少，这是东晋所以

① 此篇节选自1946年5月3日《正言报》的《南京为什么成为六朝朱明的旧都》一文，今保留原文的开头和结尾，用方括号表示。

建都南京的原因。至于宋、齐、梁、陈四代，则其政权本是沿袭晋朝的，更无待于言了。然则在六朝之中，只有孙吴的建都南京，有加以研究的必要。

孙吴为什么要建都南京呢？长江下流的都会，本来是在苏州，而后来迁徙到扬州的。看秦朝会稽郡的治所和汉初吴王濞的都城，就可知道孙吴创业，本在江东，其对岸，直到孙策死时，还在归心曹操的陈登手里，自无建都扬州之理。然则为什么不将根据地移向长江上流，以便进取呢？须知江东定后，他们发展的方向，原是如此的，然其兵力刚进到湖北边境时，曹

相传始建于三国时期的黄鹤楼（摄于光绪十年被焚前）

操的兵，已从襄阳下江陵，直下汉口了。上流为曹操所据，江东断无以自全，所以孙权不能不联合刘备，冒险一战。赤壁战后，上流的形势稳定了，然欲图进取，则非得汉末荆州的治所襄阳不可。而此时荆州，破败已甚，庞统劝刘备进取益州，实以“荆土荒残，人物凋敝”为最大的理由。直至曹魏之世，袁淮尚欲举襄阳之地而弃之（见《三国志·魏志·齐王纪》正始七年注引《汉晋春秋》），其不能用为进取的根据可见。然吴若以全力攻取，魏亦必以全力搏击，得之则不能守，不得则再蹈关羽的覆辙，所以吴虽得荆州，并不向这一方面发展，孙权曾建都武昌，后仍去而还江东，大概为此。

居长江下流而图发展，必先据有徐州。关于这一个问题，孙权在袭取关羽时，曾和吕蒙研究过，到底取徐州与取荆州，孰为有利？吕蒙说：徐州，北方并无重兵驻守，取之不难，然其地为“骁骑所骋”，即七八万人，并不易守，还是全据长江的有利。如此，才决计袭取荆州。

可见在下流方面，孙吴亦不易进取，而曹魏在这一方面的压力却颇重。原来刘琮降后，曹操要顺流东下，不过一时因利乘便之计，若专欲剿灭孙吴，自以从淮南进兵为便。所以赤壁战后，曹操曾四次征伐孙权（建安十四年，十七年，十九年，二十一年），都是从这一方面来的，而合肥的兵力尤重。

曹丕像

孙吴所以拒之者，实在今濡须口一带。此为江东的生死所系，都金陵，则和这一带声势相接，便于指挥。又京口和广陵相对，亦为长江津渡之处，曹丕曾自将自此伐吴，此路亦不可不防；居金陵与京口相距亦近，有左顾右盼之势，孙权所以不居吴郡而居金陵，其理由实在于此。此不过一时军事形势使然，别无深意。

东晋和宋、齐、梁、陈四朝，始终未能恢复北方，论者或谓金陵的形势，欲图进取，尚嫌不足，后来宋高宗建都临安，或又嫌其过于退守，谓其形势尚不如金陵。此等议论，皆太偏重地理，其实南朝之不能恢复，主因实在兵力之不足，当时兵力，南长于水，北长于陆，水军之力虽优，足以防御，或亦可乘机为局部的进取，然欲恢复中原，则非有优良的陆军，作一二次决定胜负的大战不可。

且身临前敌，居于适宜指挥之地，乃一将之任，万乘之君，初不必如此。孙权虽富有谋略，实仍不脱其父兄剽悍轻率之性质，观建安二十年攻合肥之役可知，此其所以必居金陵。若宋高宗，则初不能自将，居金陵与居临安何异？

小国寡民之世，则建都之地，要争出入于数百里之间，至大一统之世则不然。汉高祖欲都洛阳，留侯说："其小，不过数百里，田地薄，四面受敌，不如关中，沃野千里，阻三面而守，独以一面制诸侯。"此乃当统一之初，尚沿列国并立时代之习，欲以都畿之地，与他人对抗，故有此说。若大一统之世，方制万里，都在一个政府统制之下，居长安与居洛阳，又何所择？

然则政治及军事的指挥，地点孰为适宜，必计较于数百千里之间，亦只陆恃马力，水恃帆力之世为然。

［明初为什么要建都南京呢？那是由于其起兵之初，还没有攘斥胡元的力量，而只是要在南方觅一根据地，那么自濠州分离别为一军而渡江，自莫便于集庆（元集庆路）。太祖的取天下，其兵力，用于攘斥胡元者实少，用于戡定下流之张士诚、上流之陈友谅者转多。胡元遁走以后，南方之基础已固，又何烦于迁都？论者或谓明之国威，以永乐时为最盛，实由成祖迁都北平使然，此亦不考史实之谈，论其实，则永乐时之边防，实较洪武时为促。明初，北方要塞，本在开平（今多

伦），自成祖以大宁畀兀良哈而开平卫挚孤，宣宗乃移之于独石，自此宣、大遂成极边。明初胡元虽退出北平，然仍占据漠南北，为中国计，欲图一劳永逸，必如汉世发兵绝漠，深入穷追，然度漠之事，太祖时有之，成祖时则未之闻。其后有也先之难，俺答之患，中国何尝不都北平？

自中国历代兵争之成败观之，似乎北可以制南，南不可以制北，故论建都之地者，多谓北胜于南。而同一北方，则又谓西胜于东，汴梁不如洛阳，洛阳不如长安，此皆以成败之原因，一断之于军事，而言军事之成败，则又一断之于地理形势，殊为失实。且有黄梨洲所见能与众不同，他在《明夷待访录》上说："秦汉之时，关中风气会聚，田野开辟，人物殷盛，吴楚方脱蛮夷之号，故不能与之争胜。今关中人物，不及吴会久矣。东南粟帛，灌输天下，天下之有吴会，犹富室之有仓库匮箧也。千金之子，仓库匮箧，必身守之，而门庭则以委之仆妾，舍金陵而弗都，是委仆妾以仓库匮箧，昔日之都燕，则身守夫门庭矣，曾谓治天下而智不千金之子若欤？"他知道天下之"重"，在财力，在文化，而不单在兵事，其识可谓胜人一筹。

古人言治，首重风化。欲善风俗，必有其示范之地，以理以势言之，自以首都为最便，故京师昔称首善之区。昔时论建都者，多注重于政治军事，而罕注重于化民成俗，有之者，则唯汉之翼奉，唐之朱朴，宋之陈亮。翼奉当汉元帝时，他对元帝说：文帝称为汉之贤君，亦以其时长安的规模，尚未奢广，故能成节俭之治，若在今日亦“必不能成功名”，他主张迁都成周，重定制度，“与天下更始”。朱朴，当唐朱亦说“文物资货，奢侈僭伪已极”，非迁都不可。陈亮当宋高宗时，上书说：“钱塘终始五代，被兵最少，二百年之间，人物繁盛，固已甲于东南；而秦桧又从而备百司庶府，一以讲礼乐于其中，士大夫又从而治园囿台榭，以乐其生；干戈之余，而钱塘遂为乐国矣。”窥其意，宴安鸩毒，实为不能恢复的大原因。三家之言，皆可谓深切著明，而陈亮之言，实尤为沉痛。有谋国之责者，倘不视为河汉？]

司马懿如何人[①]

谁都知道，结束三国之局的是司马氏，司马氏的基业是创于司马懿之手的。这司马懿，却是怎样一个人物呢？

据《晋书·宣帝本纪》说，司马懿的玄孙晋明帝有一次和他的臣子王导谈天，便问他自己的祖宗是怎样得天下的，这王导大概因时代生得早，对于晋初的阴谋秘计比后来的人知道的多，便把司马懿如何创业，和后来他的儿子司马师杀死魏朝高贵乡公之事，一一述了一遍。明帝听了，羞得头都抬

① 《司马懿如何人》为《三国史话之余》(上)，原刊于1947年7月25日《现实周报》第一期。此篇原有一题头：近来遇见了十年不见的曹亨闻先生，他嘱咐我替他所主持的《现实周报》写一些稿子，“网罗文献吾倦矣”，却写些什么好呢？他说：“你只要写些像《三国史话》一类的东西，就很好了。”因为他这一句话，却使我怅然有感。

此篇原有一副标题：驾驭武人还是被武人牵着走？题头边还有一行大字：政治不是好事情，是非曲直勿讨论。

不起来，把脸贴在床上说道：“要是照你的话，晋朝的传代又安得长远？”这真可谓之天良发现，而司马懿父子的丧心害理，也就可想而知了。然则他怎会成功的呢？丧心害理的人会成功么？

司马懿像

晋朝从武帝篡魏（公元265年）到恭帝为刘裕所篡（公元420年），共历156年。论它为民心所爱戴，以及自己支持的实力而论，都是远不及此的，然而它居然也绵历了一个相当的年代，关于这一点，如要推求其理由，那是不能不归结到它所遭遇的时势的。因为晋朝得到政权不久，北方就为异族所窃据。如此，他虽无功德于民，人民却念到他究竟是个本族的元首，还相当拥戴他。他的臣下虽亦有居心不正的，然非如王敦、桓温等略有对外的功绩的，不敢萌篡夺之念。即王敦、桓温，亦因功绩不够，到底不能有成。直到刘裕，总算恢复了一些国土，才把王位篡夺到手。然则晋朝的传代能够绵历相当的时日，倒是异族的侵陵给他的机会了，这是后话。但在当初，他究竟怎样会成功的呢？

王导所说司马懿的创业，无疑是指他谋杀曹爽之事，因为他是经过这一次的变动，然后取得政权的。原来魏朝的失柄，由于明帝死后，他的儿子齐王芳年纪太小，然而齐王即位之初，事权实在曹爽手里。司马懿虽然同受明帝的遗命辅翼幼主，却是被排斥于政府之外，卧病在家的。大约因为他本是武人，所以仍有一班人暗中和他勾结；而他的阴谋秘计亦以此时为甚，他托病蛰伏了十年，一旦时机来到，就突然而起，趁着曹爽奉齐王出城谒陵的时候，矫太后之诏把城门关起来，把曹爽废掉，旋又把他杀了，他从此就政权在手。

这事在公元249年，至其后年，司马懿就死了，其子司马师袭其爵位。后四年，废齐王而立魏武帝的曾孙曹髦，这就是高贵乡公。其明年，司马师也死了，其弟司马昭继其爵位。又六年，高贵乡公"忿威权日去"，带着自己手下的兵去攻司马昭，被司马昭手下迎战之兵所杀。这件事，历史上的记载是如此的：高贵乡公率兵而出，第一个遇着的是司马昭的兄弟司马伷，高贵乡公手下的人对他的兵叱责，他的兵就退走了。于是司马昭的心腹贾充，带着兵来迎敌，高贵乡公手持短兵，身临前敌，贾充的兵又要退走了，乃有弟兄两人，哥哥唤做成倅，兄弟唤做成济者，问贾充道：事势危急了，怎么办呢？贾充道：司马公养着你们为的正是今天，今天的事情还问什么呢？又说：司马公若败，你们还有种么？于是成济奋勇向前，直刺高贵乡公，兵锋从前面刺进，穿出背上，高贵乡公就此被杀死了。论兵力，高贵乡公自非司马昭之敌，高贵乡公亦岂不知？然而敢于率兵直出者，一则忿威权日去，感情冲动，未免要孤注一掷；一亦由专制时代，皇帝的名义到底非寻常人所敢轻犯，这正和民主时代，主权在民，人民的地位便是至高无上，法西斯徒党要屠戮人民，奉令执行的人有时也不肯出力一样。他也有个幸胜的希冀。试看司马昭的兵，既已溃退于前，贾充的兵又要溃退于后，则他的估计原没有十分错，无如狠恶而敢干犯名义的人，历代总是有的，尤其是在军阀手下。而高贵乡公就在这种情势之下牺牲了。此事原无足深论。

然而我们从王导所说的司马懿夺取政权，及司马昭杀死高贵乡公两件事情上，却可以看出司马氏所以成功的原因来。这话怎么说呢？

当曹爽被杀的后年，有一个魏朝的扬州都督王凌，要起兵反抗司马氏，给司马懿出其不意地把他捉去了。这事亦无足深论，然当王凌设谋时，曾派人去告诉自己的儿子，而他的儿子谏止他，所说的话，却深可注意，其大意是说：曹爽所用的人，确是一班名士，他们的意思，也确是想做些事情的。然而所做的事情，都是自上而下，所以人民不能接受。而司马懿，自推翻曹爽之后，却颇能“以恤民为先”。所以曹爽之败，“名士减半”而百姓并不哀伤他们。于此可以见得自上而下的政治，贻害于人民如何深刻猛烈了。真正的恤民，司马氏自然也说不上，然而他当时剥削扰害的程度，大约人民还可忍受。所以在大乱之后，人民只求活命，别无奢望之时，也就勉强相安了。

何以能将对于人民的剥削扰害，减轻一些呢？那么他对高贵乡公事变的善后，也是深可注意的。原来对于人民剥削扰害得最深刻猛烈的，就是武人。因为武人总是粗暴的，他们所做的事情，文官到底做不出来。当政局变动之际，最后的成功者，看似由于得到少数武人的拥护，其实总是由于得到广大的人民的支持的。因为苟非广大的人民承认你，与你相安，变乱就无时而会息，你的政权就无从成立。所以创立政权者的能否成功，就看他驾驭武人的能力的强弱以为断。观于司马昭对于高贵乡公被弑以后的措置，就可见得他对于武人控制的力量的强大了。

这件事是这样的：高贵乡公死后，司马昭聚集了一班大臣共谋善后，这件事，在专制政体之下，总不能没有一个说法。正和民主时代杀死了人民，不能没有说法一样。然而怎样的说法呢？当时有一个陈泰，是有资格又有名望的，司马昭便请教他，他说：只有杀掉贾充，稍可以谢天下。这贾充乃是司马氏的死党，司马昭如何能杀掉他呢？于是愣了半天，对陈泰道：请你再想个次一等的办法。陈泰却斩钉截铁毫不迟疑地答道：我的办法，只有进于此的，没有较此退步的。司马昭就不再问了。下令说：本来命令成济不得逼近皇帝所乘的辇舆的，而他竟突入阵内，以致造成大变，这都是他一人之罪，按律大逆不道的父母妻子兄弟都斩。于是把成倅、成济和他的家属一齐收付当时的司法官廷尉。这样办，成济是冤枉的么？自然是冤枉的。但我说：冤枉或许只有一半。因为不许伤害高贵乡公的命令，或许司马昭在当日是当真发出的，至少没有叫他伤害高贵乡公，因为这根本用不着。而成济当日，杀人杀得手溜，竟把他刺得胸背洞穿，这也只好算作蛮性发作，自取其咎了。然而成济弟兄想起来，自然总觉得是冤枉的。于是到逮捕之时，他弟兄两人就登屋大骂，大骂而要登屋，这大约是所以延缓逮捕的时间，以便尽情痛诋的。逮捕的人，乃发箭把他射下来。于是成济兄弟本因怵于司马氏失败则自己也不得留种，而替他效劳的，反因此而自绝其种了。他们都灭绝了，自然没有地方去伸冤。

然而俗话说“兔死狐悲，物伤其类”，司马昭下如此辣手，难道不怕其余的武人看着寒心么？然而他竟不怕。而其余的武人也竟不能对他有什么反响。这就可见得他对于武人控制力之强，“政治不是最好的事情”，是非曲直，原无足深论，然即此亦可见得成功者之非出于偶然了。

谁能驾驭武人，谁反被武人牵着走？这是时局变动之际，居于领袖地位的人的试金石。

司马氏之兴亡[①]

我写了一篇《司马懿如何人》，有人读了问我道："依你的说法，要求成功的，倒只要用严刑峻法，压制其下了。"这又不然，司马氏之所以能成功，能用严刑峻法，压制自己手下的武人，使其不敢十分胡行，固然是其一个原因；然而他的使用严刑峻法，主要的还不是为着约束自己手下的人，倒是用来对付政敌的。那么，用来严约自己手下的人，是他成功的因素，用严酷的手段对付政敌，就成为他失败的因素了。

谁都知道，历代用法的严峻，无有过于魏晋之间的。不但动辄族诛，就是嫁出的女儿，也不能免。他的所以如此，无

① 此篇原为《三国史话之余》(下)，刊于《现实周报》第二期(1947年8月1日)。原文副标题：恐怖政策对之手下人是成功的，用以对付政敌是失败了。

非用恐怖政策，慑服异己，使其不敢有所举动罢了。他成功了么？倘使这种政策而用诸今日，反对他的，将是广大的人民，必非严刑峻法所能绝其反动的根株。即在昔日，反对他的仅是少数的政敌，并没有广大的人民作为基础，似乎给他压下去了。然而种瓜得瓜，种豆得豆，恐怖政策的结果，还是不免于自害自。

谁都知道，西晋之所以灭亡，由于八王之乱。而八王之乱，则是因惠帝的自杀其太子而引起的。原来晋武帝的儿子是晋惠帝，他的皇后就是上篇所说的贾充的女儿。惠帝的太子非其所生，贾后就蒙蔽惠帝，把他废掉，后来又把他杀掉。八王之乱就借此为由而开始，递推递演，终至于不可收拾了。当太子被杀之时，有一个唤做阎缵的，自己带着棺材，以表示必死的决心，上书替太子伸冤，不见省。后来惠帝又立他的孙儿子做皇太孙。阎缵怕再有他祸，又诣阙上书。他的书中引证前代的三件事：

其一，汉高祖出去打仗，路过赵国，当时赵王唤做张敖，乃是汉高祖的女婿，迎见执礼甚恭，而汉高祖是流氓出身，喜欢骂人，谩骂他。赵王不敢如何，他的宰相唤做贯高，却听着不平，于是伏兵谋杀高祖。事情发觉了，这自然要连累到赵王，于是他被逮入京。贯高却真是个硬汉，随王到京一律承当，说都是自己所做的事，赵王全不知情。虽然受尽酷刑，口供始终不改，赵王因此得免。即贯高，汉高祖也并不办他的罪，还有赵王之臣田叔等十人，冒充赵王的家奴，随王到京保护服侍他，则还受到汉高祖的奖赏。

其二，汉高祖的皇后姓吕，这便是高祖死后，他的儿子惠帝在位时，实握朝权七年；惠帝死后，又临朝称制八年，在中国历史上，和唐朝的武则天并称的吕后。吕后是很有才能的。汉高祖平定天下后，东奔西走，不遑宁处。京城里的事情，实际都是交给她。汉高祖是个好色之徒。起兵之后宠爱了一个戚夫人，生子赵王如意。意欲废掉惠帝，把他立做太子，因顾虑吕后的实力，未能如愿。高祖在日，吕后无如戚夫人何，到高祖死后，便把她囚了起来，又召赵王入京，赵王的宰相周昌，知道她没有好意，留王不遣，如此者三次，吕后乃先召周昌入京，再召赵王。赵王到后，就把他母子一并杀害了。然而对于周昌，吕后却没有得罪他。

其三，是汉武帝的事情。汉武帝的皇后姓卫，生子名据，立为太子。后来他的谥法，是个“戾”字，所以称为戾太子。汉武帝是个喜怒无常、赏罚无章之徒，他又很迷信，到晚年更多疑忌。总疑心人家要用巫术去谋害他，这便是所谓“巫蛊”。于是有个唤做江充的，和太子有隙，就借以诬陷太

汉武帝像

子。太子明知道武帝偏见任性，既被诬陷之后，向他辩白是无益的，于是不想辩白，而竟诈传武帝的诏旨，发兵捕杀江充。这一来，武帝说太子造反了。发兵叫宰相带着兵去打他，太子战败逃出去，给追捕的人追到了，自杀。皇后亦自杀于京城之内，太子有三个儿子都被杀，只有一个孙儿，就是武帝的曾孙，因年幼系狱。后来武帝也知道太子的冤枉了，江充和迫害太子的人，多遭族诛。然皇曾孙仍系狱未释。再后来，武帝害病了，当时又有一种迷信称为“望气”。望气的人说：“长安狱中有天子气。”于是武帝下诏，要把拘禁在狱中的囚徒，尽数杀掉。这真是不成事体，幸得当时有个法官唤做丙吉的关了狱门，拒绝诏旨，皇曾孙才得保全，这就是后来的宣帝。然武帝用刑虽滥，对于丙吉，却也没有得罪他。

阎缵引这三件事说：当时用法太酷，动辄灭门，所以使人不敢尽忠。他又说：倘使当时的人能像周昌、丙吉一般，暂时拒绝诏旨，太子固然可以不死，就是有些人，能够跟随太子，局面也总要好些。然而太子被废出宫之时，他的臣子有些在路上望车拜辞，还被逮捕送到监狱之中治罪，还有何人敢说话呢？然则晋朝恐怖政策，钳制其下，不是自杀其子孙么？种瓜得瓜，种豆得豆，他自己的政策贻害自己的子孙，谁能为他惋惜？然而政权在他手里。政治上的事情是最宜“气疏以达”，把各方面的意思，都反映出来的。最忌自行封锁，致处于耳无闻、目无见的地位。现在执掌政权的，用恐怖他人的政策，封锁自己。于是政治大坏，人民却连带着遭殃了，这真可为之三叹。

当大局动荡之时，一切事情都不上轨道，握有实权的人，很容易用严刑峻法，取快一时，这也是古今之通弊。魏晋间的严刑峻法，还不自司马氏始，当时曹操、孙权手下，都有所谓校事，就是今世所谓特务。曹操手下有一个人唤做高柔，曾力谏曹操，说这班人用不得，而曹操不听。至于孙权，则连他自己的太子亦不以此种办法为然，而孙权亦不听。曹操、孙权的出此，或者还不全是私心，而是有整顿政治的思想，因为他们的校事，并不是用来对付人民，倒是用来对付官吏的。这看后来孙权的觉悟，由于其信臣朱据的被诬，而魏文帝（曹丕）时，程昱的孙儿程晓疏论此事，称其“上察官属，下摄众司”，就可知道了。然而还是不胜其弊。可见用法而出于正式的法律和司法机关以外，总是弊余于利的。若其用途而非以对付官吏，则更不必论了。

晋代豪门斗富[①]

当两个文明程度不同的社会，接触以后，较高的社会文明，总会输入文明程度较低的社会中去。这本是有益无害的事，然而文明程度较低的社会，竟有因此而陷于衰亡的，这是什么原因呢？无他，明明可用来生利之物，你却不用之于生利，而用之于浪费虚耗之途而已。

在历史上，一朝开国之后，总是能盛强安稳一个时期，独晋朝不然。从武帝平吴（公元280年）到洛阳沦陷（公元311年），不过31年而已。这又是为什么？我们知道：一个人享用过度，就精力耗损，志气消沉了。晋初有一个远从魏武帝、近从晋宣帝遗留下来的腐败的文臣、骄横的武人的政治集团，其中荒淫奢侈之事，真是不胜枚举。我现在且举其两件：

其一，是晋武帝的女婿王济。武帝有一次到他家里去，他

①《晋代豪门斗富》，原刊《现实新闻》双周刊第十一期，原副标题为：从汽油的限制到五胡乱华。

留武帝吃饭，肴馔的讲究，不必说了，《晋书》上说他“悉贮琉璃器中”。琉璃就是现在的玻璃，当时中国还不能自造，大约是从西域来的。其二，当时的豪门，多好斗富，其中最豪富的是石崇。晋武帝因为和姓王的有亲戚关系，暗中总帮助着他。有一次，把内府中一株三尺多高的珊瑚树，赏赐给一个唤做王恺的。这王恺，便要把它去夸示石崇了。石崇一见，就举起铁如意来，把它打碎。王恺觉得既可惜，又可气，不免声色俱厉。石崇却说：“不足多恨，今还卿。”唤人将自己所有的取出来，三四尺长的六七株。王恺乃爽然自失。珊瑚也非中国所有，大约是从南洋来的，罗致这许多东西，不都要花钱到外国去买吗？这在当日，实在是异常奢侈的事情。当时这个政治集团中人，有如此不合理的享受，他们的精力，还能够不耗损，志气还能够不消沉吗？何怪五胡一崛起，一班好战的人，都像秋风扫落叶一般，纷纷地倒坍下去呢？

这班人财自何来，历史上没有详明的记载。论其大略，总不免向农人头上剥削，只要看《晋书》的列传上，叙述他们的产业，总说田园水碓甚多，就可知道了。田是种谷物的，可以收取租米，史书上记载也颇多。园是种果树、开池养鱼等等的，《晋书·王戎传》说：他家有好李，要把它卖出去，又怕人家得其种，都先钻其核而后卖之，大约就是园中的出产。水碓则是舂米的，当时使用颇广。晋惠帝时京城被一个叛将围起来，这叛将把城外的水决去，城中的水碓，都因无水不能动，乃将十三岁以上的男子总动员，来舂米给兵吃，就可见对水碓相需之殷。他们拥有广大的田园，水碓多数又为他们所有，豪门资本就侵入了工商界了。

诚如 Frank Rounds Ir 所说（见《现实周报》第一期外论），中国人民的忍耐性，和农村经济的坚韧性，是极大的。然而其忍耐和坚韧，也总有一个限度的，古来有多少好战之徒，都失败在这个限度的误认上。当洛阳沦陷之后，索琳、麴允还翼戴愍帝，在长安建立了一个政权。不几年又覆败了。于是元帝只得退却到江东，成为偏安之局。当时有一个刘琨，在并州，即今日的太原地方，还艰苦支持了好几年，也终于灭亡了。刘琨和索琳、麴允，都是很忠勇的，为什么都不能成功呢？那就由于农村经济的坚韧性，此时已变成脆弱，而人民也再不能忍耐了。试看《晋书》上叙述当时长安的情形，是“户不满百，荆蒿成林”，而刘琨初到并州时所上的表，则说现在晋东南境，一路都是白骨遍地，太原则四山都是羌胡，不能出城樵采，本地既无出产，粜买的通路，又极艰苦，便可知其致败之由。五胡中最成功的是鲜卑，鲜卑之所以能成功，是由于慕容氏所根据的，是今热河、辽宁之地，拓跋氏所根据的，是今察哈尔、绥远之地，倒是比较安静富庶的。慕容氏既入中原，辽东之地，为高句丽所据，辽西亦受侵扰，拓跋氏末年，六镇大乱，其固有的根据地失掉，鲜卑也就完了。这岂非百代的殷鉴？

袁曹成败[①]

袁、曹成败，昔人议论孔多，然皆事后附会之辞，非其实也。建安五年，曹操之东征刘备也，《三国志·魏志·武帝纪》曰："诸将皆曰：'与公争天下者袁绍也，今绍方来，而弃之东，绍乘人后，若何？'公曰：'夫刘备，人杰也，今不去，后必为患。袁绍虽有大志，而见事迟，必不动也。'郭嘉亦劝公（嘉传无此语）。遂东击备，破之。……公还官渡，绍卒不出。"《绍传》亦云："太祖自东征备，田丰说绍袭太祖后，绍辞以子疾，不许，丰举杖击地曰：'夫遭难遇之机，而以婴儿之病失其会，惜哉！'"皆病绍之用兵，不能乘时逐利。案用兵各有形势，轻兵掩袭，乘时逐利，与持重后进，专

① 本篇选自《吕思勉遗文集》（下）（华东师范大学出版社 1997 年版，第 605~608 页），标题依旧。

以摧破敌人之大军为主旨者，各一道也。

绍之计，盖为先定河北，然后蓄势并力，以与强者争衡。当操与吕布相持于兖州时，强敌在前，饥军不立，欲从袁绍之说，遣家居邺（《三国志・魏志・程昱传》）。其势可谓危矣，然以程昱之谏而遂止，袁绍亦不之问。其后吕布为操所败，张邈从布走，张超犹守雍丘，臧洪以故吏之谊，欲乞兵往救。绍当是时大可存超以为牵制，而犹终不听许，至反因此与洪构衅，诚欲专力于河北，未欲问鼎于河南也。

建安四年，绍既并公孙瓒，将进军攻许，则既遣人招张绣，复与刘备连和。其明年，两军既相持，则有刘辟等应绍略许下，绍又使刘备助之，则绍于牵制操耳，亦不为不力矣。然终不发大兵为之援者，许下距河北远，多遣兵则势不能捷，少则无益于事，徒招挫折，故绍不肯遣大兵。即操亦知其如此，度其时日，足以定备，是以敢于轻兵东骛，非真能逆臆绍之昧机而不动也。

绍之南也，田丰说绍曰：“操善用兵，变化无方，众虽少，未可轻也。今不如久持之……简其精锐，分为奇兵，乘虚迭出，以扰河南，救右则击其左，救左则击其右，使敌疲于奔命，民不得安业，我未劳而彼已困，不及三年，可坐克也。今释庙胜之策而决成败于一战，若不如志，悔无及也。”及兵既接，沮授又曰："北兵虽众，而果劲不及南；南军谷少，而货储不如北；南幸于急战，北利于缓师，宜徐持久，旷以日月。"一以兵之不逮，一以将之不及，不欲速战，而主持久以敝敌。盖时河北虽云凋敝，然其空乏初不如河南之甚，田丰违旨，终遭械系，沮授之策，则绍实不可谓不用。《绍传》云："太祖与绍相持日久，百姓疲乏，多叛应绍，军食乏。"《武帝纪》亦谓：操以粮少，与荀彧书，议欲还许。而绍则运谷车为徐晃、史涣所邀击者数千乘。又使淳于琼等五人将兵万余人送之，悉为操所烧，乃致大溃。则其粮储之丰可知，使徐晃、史涣功不成，操攻琼而之诛不启，抑或不克济，事之成败，固未可知。

或传太祖军粮方尽，书与彧议，欲还许以引绍。彧曰："今军食虽少，未若楚、汉在荥阳、成皋间也。是时刘、项莫肯先退，先退者势屈也。公以十分居一之众，划地而守之，扼其喉而不得进，已半年矣。情见势竭，必将有变，此用奇之时，不可失也。"夫楚汉相持，汉以兵多食足见长，楚兵少食尽，其势与曹操之势正相反，安得举以为喻。陆逊之策刘备曰："备是猾虏，更尝事多，其军始集，思虑精专，未可干也。今住已久，不得我便，兵疲意沮，计不复生，掎角此寇，正在今日。"此即荀彧所谓情见势绌，用奇之时。徐晃、史涣之邀击，及操之自将以攻淳于琼，正是其事。然亦幸而获济耳，使绍而虑精专，此等竟不能遂，则其后之成否，固犹未可知也。然则袁绍之成败，亦间不容发耳。所谓还许以引绍者，即是不支而退，使其竟尔如此，而绍以大兵乘其后，曹军之势必土崩瓦解，不复支矣。然则绍之筹策，固亦未尝可谓其不奏功也。

《满宠传》云："时袁绍盛于河朔，而汝南绍之本郡，门生宾客布在诸县，拥兵拒守。太祖忧之，以宠为汝南太守。宠募其服从者五百人，率攻下二十余壁，诱其未降渠帅，于坐上杀十余人，一时皆平。得户二万，兵二千人，令就田业。"《李通传》云："建安初，通举众诣太祖于许。拜通振威中郎将，屯汝南西界。太祖讨张绣，刘表遣兵以助绣，太祖军不利。通将兵夜诣太祖，太祖得以复战，通为先登，大破绣军。拜裨将军，封建功侯。分汝南二县，以通为阳安都尉。通妻伯父犯法，朗陵长赵俨收治，致之大辟。是时杀生之柄，决于牧守，通妻子号泣以请其命。通曰：'方与曹公戮力，义不以私废公。'嘉俨执宪不阿，与为亲交。太祖与袁绍相拒于官渡。绍遣使拜通征南将军，刘表亦阴招之，通皆拒焉。通亲戚部曲流涕曰：'今孤危独守，以失大援，亡可立而待也，不如亟从绍。'通按剑以叱之……即斩绍使，送印绶诣太祖。又击郡贼翟恭、江宫、沈成等，皆破歼其众，送其首。遂定淮、汝之地。”《赵俨传》云：“袁绍举兵南侵，遣使招诱豫州诸郡，诸郡多受其命。惟阳安郡不动，而都尉李通急录户调。俨见通曰：‘方今天下未集，诸郡并叛，怀附者复收其绵绢，小人乐乱，能无遗恨！且远近多虞，不可不详也。’通曰：‘绍与大将军相持甚急，左右郡县背叛乃尔。若绵绢不调送，观听者必谓我顾望，有所须待也。’俨曰：‘诚亦如君虑；然当权其轻重，小缓调，当为君释此患。’乃书与荀彧……彧报曰：‘辄白曹公，公文下郡，绵绢悉以还民。’上下欢喜，郡内遂安。”此可见操之多忠亮死节之臣，刘辟等之所以不能摇动以此也。

《后汉书·袁绍传》云：绍与操相持，许攸进曰：“曹操兵少而悉师拒我，许下余守势必空弱，若分遣轻军，星行掩袭，许拔则操为成禽，如其未溃，可令首尾奔命，破之必也。”夫遣骑轻则如曹仁等优足拒之矣，安得使操疲于奔命而况侈言拔许哉！

曹操之攻淳于琼也，袁绍闻之，谓长子谭曰：“就彼攻琼等，吾攻拔其营，彼固无所归矣！”乃使张郃、高览攻曹洪。此亦未为非计（《三国志·魏志·武帝纪》）。而郃谓曹分营固，攻之必不拔（《三国志·张郃传》），其后果然，则操之备豫不虞不为不至。安得如书生谈兵谓一即可袭取哉！

要之两汉三国时史所传，唯一大纲，余皆事后附会之辞，遂一一信为事实则偵矣。《蜀志》又谓曹公北征乌丸，先主说表袭许，表不能用其说，当时又谓孙策闻公与绍相持，乃谋袭许，未发。为刺客所杀（《三国志·魏志·武帝纪》），则近于子虚乌有矣（编者按：参见本书《孙策欲袭许》）。

《荀彧传》载彧论曹公较之袁绍有四胜，又曰不先取吕布，河北亦未易图也。《郭嘉传》注引《傅子》又谓嘉料绍有十败，公（指曹操）有十胜，其所谓十败十胜者，实与彧之辞无大异，特敷衍之，多其节目耳。又曰：嘉曰“绍方北击公孙瓒，可因其远征，东取吕布，不先取布，若绍为寇，布为之援，此深害也”。两人之言有若是其如出一口者乎，其为事后附会，而非其实，审矣。然此等综括大体之辞，较之专论一事者差为近理。要之当时之史尚系传述之辞，多所谓某人某人之语，未必可即作其人之辞观。然以此为其时人之见解，固无不可也。《史》《汉》之《留侯传》，《三国志》之《荀彧传》均可作如是观。

论魏武帝[①]

从古英雄，坚贞坦白，无如魏武者。予每读《三国志》注引《魏武故事》所载建安十五年十二月已亥令，未尝不怆然流涕也。

他且勿论，其曰："合兵能多得耳，然常自损，不欲多之；所以然者，兵多意盛，与强敌争，倘更为祸始。"自清末至民国，军人纷纷，有一人知念此者乎？

其引齐桓、晋文及乐毅、蒙恬之事，自明不背汉，可谓语语肝鬲。且曰："孤非徒对诸君说此也，常以语妻妾，皆令深知此意。孤谓之言：顾我万年之后，汝曹皆当出嫁，欲令传道我心，使他人皆知之。"以众人之不知也，使豪杰独抱孤

① 本篇选自吕思勉著《论学集林·蒿庐论学丛稿》(上海教育出版社 1987 年版，第 113~115 页)，标题依旧。

忠，难以自明如此，岂不哀哉？

又曰：“然欲孤便尔委捐所典兵众，以还执事，归就武平侯国，实不可也。何者？诚恐已离兵，为人所祸也。既为子孙计，又已败则国家倾危，是以不得慕虚名而处实祸。”

又曰：“前朝恩封三子为侯，固辞不受，今更欲受之，非欲复以为荣，欲以为外援，为万安计。”从古英雄，有能如是坦白言之者乎？

夫唯无意于功名者，其功名乃真。公初仅欲作郡守，后又欲以泥水自蔽，绝宾客往来之望，虽至起兵讨卓之后，犹不肯多合兵是也。唯不讳为身谋者，其为公家谋乃真。使后人处公之位，必曰所恤者国家倾危，身之受祸非所计，更不为子孙计也。然其诚否可知矣。

《董昭传》载昭说太祖建封五等曰：“太甲、成王未必可遭，今民难化，甚于殷、周，处大臣之势，使人以大事疑己，诚不可不重虑也。明公虽迈威德，明法术，而不定其基，为万世计，犹未至也。定基之本，在地与人，宜稍建立，以自藩卫。”此即太祖欲受三子侯封以为外援之说，意在免祸，非有所图；且太祖早自言之矣，何待昭之建议。

乃传又载昭之言曰：“自古以来，人臣匡世，未有今日之功。有今日之功，未有久处人臣之势者也。……明公忠节颖露，天威在颜，耿弇床下之言，朱英无妄之论，不得过耳。昭受恩非凡，不敢不陈。”后太祖遂受魏公、魏王之号，皆昭所创。《荀彧传》云：建安“十七年，董昭等谓太祖宜进爵国公，九锡备物，以彰殊勋，密以谘彧。彧以为太祖本兴义兵以匡朝宁国，秉忠贞之诚，守退让之实；君子爱人以德，不宜如此。太祖由是心不能平。会征孙权，表请彧劳军于谯，因辄留彧，以侍中光禄大夫持节，参丞相军事。太祖军至濡须，彧疾留寿春，以忧薨。……明年，太祖遂为魏公矣”。一似太祖之为魏公、魏王，实为篡逆之阶，董昭逢之，荀彧沮之者，此则诬罔之辞矣。

太祖果欲代汉，易如反掌，岂待董昭之逢，亦岂荀彧所能沮？欲篡则竟篡矣，岂必有魏公、魏王以为之阶？《董昭传》注引《献帝春秋》，谓太祖之功，方之吕望、田单，若泰山之与丘垤，徒与列将功臣，并侯一县，岂天下之所望？此以事言为极确，即以理论为至平，开建大国，并封诸子，使有磐石之安宜也，于篡夺乎何与？《荀彧传》之说既全属讹传，即《董昭传》之辞，亦附会不实。然谓公忠节颖露，耿弇、朱英之谋不得过耳，则可见太祖当时守节之志甚坚，为众人所共知，故虽附会者，亦有此语也。已亥令所言之皆实，弥可见矣。

《郭嘉传》：嘉薨，太祖临其丧，哀甚，谓荀攸等曰："诸君年皆孤辈也，唯奉孝最少。天下事竟，欲以后事属之，而中年夭折，命也夫！"注引《傅子》载太祖与荀彧书亦云："欲以后事属之。"此太祖之至心，亦即公天下之心也。然其事卒不克就，身死未几，子遂篡夺，岂郭嘉外遂无人可属哉？人之心思，恒为积习所囿。父死者必子继，处不为人臣之势，则终必至于篡夺而后已。人人之见解如此，固非一二人之力所能为也。太祖即有所属，受其属者，亦岂能安其位哉？然而太祖之卓然终守其志，则可谓难矣。英雄固非众人之所能移也。

《蜀志·李严传》注云："《诸葛亮集》有严与亮书，劝亮宜受九锡，进爵称王。亮答书曰：'吾本东方下士，误用于先帝，位极人臣，禄赐百亿，今讨贼未效，知己未答，而方宠齐、晋，坐自贵大，非其义也。若灭魏斩叡，帝还故居，与诸子并升，虽十命可受，况于九邪！'"如亮之言，使其为魏武帝，岂有不受九锡者哉？而李严当日，岂有劝亮为帝之理与？而以魏武帝之受九锡，进王封，必为篡夺之阶，其诬亦可知矣。

曹嵩之死[①]

《三国志·魏志·武帝纪》兴平元年云："初，太祖父嵩，去官后还谯，董卓之乱，避难琅邪，为陶谦所害，故太祖志在复仇东伐。"《后汉书·陶谦传》云："初，曹操父嵩避难琅邪，时谦别将守阴平，士卒利嵩财宝，遂袭杀之。"

董卓之乱，未尝及谯，而嵩须避难者，以太祖合兵诛卓也。嵩所避居之琅邪，盖今山东诸城县东南之琅邪山，而非治开阳、在今临沂县境之琅邪郡，僻处海隅，为耳目所不及，故可避卓购捕之难。汉阴平县治在今江苏沭阴县东北，相距颇近，故为陶谦别将戍此者所害也。

---

① 本篇选自《吕思勉遗文集》（下）（华东师范大学出版社 1997 年版，第 601~603 页），标题依旧。

《三国志》注引《世语》曰："嵩在泰山华县，太祖令泰山太守应劭送家诣兖州，劭兵未至，陶谦密遣数千骑掩捕。嵩家以为劭迎，不设备，谦兵至，杀太祖弟德于门中。嵩惧，穿后垣先出其妾，妾肥不时得出，嵩逃于厕，与妾俱被害，阖门皆死。"又引韦曜《吴书》曰："太祖迎嵩，辎重百余两，陶谦遣都尉张闿将骑二百卫送，闿于泰山华、费间杀嵩，取财物，因奔淮南。"

案：初平四年下邳阙宣聚众数千人，自称天子。谦与共举兵取泰山华、费，略任城，太祖乃征谦，则兖徐构衅，祸始泰山华、费。或又以为操与谦有不共戴天之仇，遂妄谓嵩之见杀，为在泰山华、费之间也。初平三年《纪》云："袁术与绍有隙，术求援于公孙瓒，瓒使刘备屯高唐，单经屯平原，陶谦屯发干，以逼绍。太祖与绍会击，皆破之。"盖是时之相争者，袁绍与刘表为朋，袁术与公孙瓒为伍，太祖据兖州，绍之党也。田楷据青州，陶谦据徐州，皆瓒之与也。发干之屯，谦既躬进兵以逼绍；泰山之略，谦又合阙宣以图操，则自初平四年夏以前，陶谦皆攻取之师，袁绍与魏太祖仅备御之师而已。初平四年之秋，兴平元年之夏，魏祖始再举攻谦，谓之徼利之师可，谓之除害之师，亦无不可；谓之复仇则诬。嵩之死，固由谦之不能约束所部，然不能约束所部者亦多矣，究与躬行杀者有别也。

《后汉书·应劭传》六年拜泰山太守。“兴平元年，前太尉曹嵩及子德，从琅玡入太山，劭遣兵迎之，未到，而徐州牧陶谦素怨嵩子操数击之，乃使轻骑追嵩、德，并杀之于郡界。劭畏操诛，弃郡奔冀州牧袁绍。”

《三国志·陶谦传》注引《吴书》谓：“曹公父于泰山被杀，归咎于谦。欲伐谦而畏其强，乃表令州郡一时罢兵。”谦被诏，上书拒命，“曹公得谦上书事，知不罢兵，乃进攻彭城”。裴松之谓：“此时天子在长安，曹公尚未秉政，罢兵之诏，不得由曹氏出。”

诸葛亮南征考[1]

诸葛亮之南征，《三国志》记其事甚略。《亮传》注引《汉晋春秋》曰：亮至南中，所在战捷。闻孟获者，为夷、汉所服，募生致之。既得，使观于营阵之间。问曰："此军何如？"获对曰："向者不知虚实，故败。今蒙赐观看营阵，若只如此，即定易胜耳。"亮笑，纵使更战。七纵七禽（擒），而亮犹遣获，获止不去，曰："公，天威也，南人不复反矣。"遂至滇池。南中平，皆即其渠师而用之。或以谏亮，亮曰："若留外人，则当留兵，兵留则无所食，一不易也；加夷新伤破，父兄死丧，留外人而无兵者，必成祸患，二不易也；又夷累有废杀之罪，自嫌衅重，若留外人，终不相

① 本篇选自吕思勉著《论学集林·蒿庐札记》（上海教育出版社 1987 年版，第 728~731 页），标题依旧。

信，三不易也。今吾欲使不留兵，不运粮，而纲纪粗定，夷、汉粗安故耳。”

《马谡传》注引《襄阳记》曰：亮征南中，谡送之数十里。亮曰：“虽共谋之历年，今可更惠良规。”谡对曰：“南中恃其险远，不服久矣。虽今日破之，明日复反耳。今公方倾国北伐，以事强贼，彼知官势内虚，其叛亦速。若殄尽遗类，以除后患，既非仁者之情，且又不可仓卒也。夫用兵之道，攻心为上，攻城为下；心战为上，兵战为下；愿公服其心而已。”亮纳其策，赦孟获以服南方，故终亮之世，南方不敢复反。

攻心攻城，心战兵战，后世侈为美谈，其实不中情实。案当时叛者，牂牁朱褒、益州雍闿、越嶲高定。

褒之叛在建兴元年，闿、定则尚在其前（《后主传》：“建兴元年夏，牂牁太守朱褒拥郡反。先是益州郡大姓雍闿反，流太守张裔于吴，据郡不宾。越嶲夷王高定亦背叛。”据《张裔传》及《马忠传》，则闿前次已杀太守正昂。《吕凯传》云：“雍闿等闻先主薨于永安，骄黠滋甚。”又载亮表凯及王伉，谓其“执忠绝域，十有余年”，则当先主之世，闿亦未尝服从也）。闿又系为吴所诱（见《蜀志·张裔、吕凯传》，《吴志·步骘、士燮传》），其答李严书，辞绝桀慢（见《吕凯传》），盖其蓄叛谋久矣。其心岂仓卒可服？

《李恢传》云：“为庲降都督，住平夷县。先主薨，高定恣睢于越嶲，雍闿跋扈于建宁，朱褒反叛于牂牁。丞相亮南征，先由越嶲，而恢案道向建宁。诸县大相纠合，围恢军于昆明。”“恢出击，大破之。追奔逐北，南至槃江，东接牂牁，与亮声势相连。南土平定，恢军功居多。”

《吕凯传》：“永昌不韦人也。仕郡五官掾功曹。……雍闿降于吴，吴遥署闿为永昌太守。永昌既在益州郡之西，道路壅塞，与蜀隔绝，而郡太守改易，凯与府丞蜀郡王伉，帅厉吏民，闭境拒闿。……及丞相亮南征讨闿，既发在道，而闿已为高定部曲所杀。亮至南，表以凯为云南太守（亮平南之后，改益州郡为建宁郡。分建宁、永昌郡为云南郡，又分建宁、牂牁为兴古郡），王伉为永昌太守。”

《马忠传》云：“亮入南，拜忠牂牁太守。郡丞朱褒反，叛乱之后，忠抚育恤理，甚有威惠。”

昆明种落，西至楪榆，其距越嶲，已不甚远。亮兵自越嶲而出，至云南附近，必已与李恢、吕凯相接。永昌本未破坏。自昆明以东，又为恢所平定，则亮之战绩，当在越嶲、云南之间。既抵云南，遂可安行至滇池矣。亮之行，盖至滇池为止。自此以东，益因李恢兵势，更遣马忠往抚育之。

《后主传》仅云：“南征四郡，四郡皆平。”《亮传》亦仅云：“率众南征，其秋悉平。”不详述其战绩者，亮军实无多战事也。七纵七擒事同儿戏，其说信否，殊难质言。即谓有之，亦必在平原，非山林深阻之区。且以亮训练节制之师，临南夷未经大敌之众，胜算殆可预操。

孟获虽得众心，实非劲敌。累战不捷，强弱皎然，岂待七擒而后服？况攻心攻城，心战兵战，乃庙算预定之策，非临机应变之方，谋之历年，当正指此，安得待出军之日，然后问之？马谡亦安得迟至相送之日，然后言之乎？

《李恢传》云：“军还，南夷复叛，杀害守将。恢身往扑讨，锄尽恶类，徙其豪帅于成都，赋出叟、濮耕牛战马金银犀革，充继军资，于时费用不乏。”此所谓军还者，当指亮南征之军。所谓费用不乏，亦即《亮传》所谓军资所出，国以富饶。其事相距不远，故承其秋悉平之下终言之。则是亮军还未几，南夷即叛也。

《后主传》：“建兴十一年，南夷刘胄反，将军马忠讨平之。”《马忠传》亦云：“建兴十一年，南夷豪帅刘胄反，扰乱诸郡。征庲降都督张翼还，以忠代翼，忠遂斩胄，平南土。”而据《张翼传》，则翼之为庲降都督，事在建兴九年，刘胄作乱，翼已举兵讨胄，特未破而被征。然则胄之乱尚未必在十一年；即谓其在十一年，而亮之卒实在十二年八月，相去尚几两年也。

《马忠传》又云："初，建宁郡杀太守正昂，缚太守张裔于吴，故都督常驻平夷县。至忠，乃移治味县，处民夷之间。又越嶲郡亦久失土地，忠率将太守张嶷，开复旧郡。"《张嶷传》注引《益部耆旧传》云：忠之"讨胄，嶷复属焉。战斗常冠军首，遂斩胄。平南事讫，牂牁兴古獠种复反。忠令嶷领诸营往讨。"此事当在建兴十一二年间，亮亦尚未卒。

又《后主传》：延熙三年春，使越嶲太守张嶷平定越嶲郡。《张嶷传》云："自丞相亮讨高定之后，叟夷数反，杀太守龚禄、焦璜。是后太守不敢之郡，只住（安定）县，去郡八百余里，其郡徒有名而已。时论欲复旧郡，除嶷为越嶲太守。嶷在官三年，乃徙还故郡。定莋、台登、卑水三县，旧出盐铁及漆，而夷徼久自固食。嶷乃率所领夺取，署长吏。郡有旧道，经旄牛中至成都，既平且近。自旄牛绝道，已百余年，更由安上，既险且远。嶷乃与旄牛夷盟誓，开通旧道，复古亭驿。"又《霍峻传》："子弋……永昌郡夷獠，恃险不宾，数为寇害。乃以弋领永昌太守，率偏军讨之。遂斩其豪帅，破坏邑落，郡界宁静。”此事在弋为太子中庶子之后，太子璿之立，事在延熙元年，则弋之守永昌，当略与嶷之守越嶲同时。然则不但终亮之世，南方不敢复反为虚言；抑亮与李恢、吕凯等，虽竭力经营，南夷仍未大定，直至马忠督庲降，张嶷守越嶲，霍弋守永昌，然后竟其令功也。诸人者，固未尝不竭抚育之劳，亦未闻遂释攻战之事，此又以见攻心心战之策，未足专恃矣。

要之亮之素志，自在北方；其于南土，不过求其不为后患而止。军国攸资，已非夙望，粗安粗定，自系本怀。一出未能敉平，原不足为亮病，必欲崇以虚辞，转贻致讥失实矣。

诸葛亮随身衣食悉仰于官不别治生①

诸葛亮自表后主曰："成都有桑八百株，薄田十五顷，子弟衣食，自有余饶。至于臣在外任，无别调度，随身衣食，悉仰于官，不别治生，以长尺寸。若臣死之日，不使内有余帛，外有赢财，以负陛下。"及卒，如其所言（见《三国志》本传）。读史者以为美谈。

其实当时能为此者，非亮一人也。夏侯惇"性清俭，有余财，辄以分施，不足资之于官，不治产业"。徐邈"赏赐皆散与将士，无人家者"。嘉平六年，诏与田豫并褒之（以上均见《三国志》本传）。邓芝"为大将军二十余年……身之衣

① 本篇选自吕思勉著《论学集林·蒿庐札记》（上海教育出版社 1987 年版，第 731~735 页），标题依旧。

食，资仰于官，不苟素俭，然终不治私产，妻子不免饥寒。死之日，家无余财”。吕岱“在交州，历年不饷家，妻子饥乏”。其所为皆与亮同。

陈表“家财尽于养士，死之日，妻子露立”。朱桓“爱养吏士，赡护六亲，俸禄产业，皆与共分。及桓疾困，举营忧戚”（见《三国志》本传）。则尤有进焉者矣。

君子行不贵苟难，不以公家之财自私则可矣；禄尽于外，而妻子饥寒则过矣。要之治生自治生，廉洁自廉洁，二者各不相妨也。

袁涣“前后得赐甚多，皆散尽之，家无所储，终不问产业，乏则取之于人，不为皦察之行，然时人服其清”（见《三国志》本传）。有袁涣之行则可也。无之，则有借通财之名，行贪取之实者矣。随身用度，悉仰于官，而无节度，亦不能保贪奢者之不恣取也。为之权衡斗斛，则并权衡斗斛而窃之，于私产之世而求清廉，终无正本之策也。是故督责之术之不可以少弛也，于财计尤然。

羊续为南阳太守，妻与子秘俱诣郡舍，续闭门不纳。妻自将秘行，其资藏唯有布衾、敝祇裯、盐麦数斛而已。顾敕秘曰：“吾自奉若此，何以资尔母乎？”使与母俱归。刘虞“以俭素为操，冠敝不改，乃就补其穿。及遇害，瓒兵搜其内，而妻妾服罗纨，盛绮饰，时人以此疑之”（均见《后汉书》本传）。步骘“被服居处有如儒生。然门内妻妾，服饰奢绮，颇以此见讥”（见《三国志》本传）。夫虞与骘非必其为伪也，和洽曰：“夫立教观俗，贵处中庸，为可继也。今崇一概难堪之行以检殊涂，勉而为之，必有疲瘁。”（见《三国志》本传）俭者之家人，不必其皆好俭也。身安于俭焉，习于俭焉，勉于俭焉，皆无不可，必欲强其家人以同好，则难矣。迫其家人为一概难堪之行，以立己名，尤非真率平易者所能为。故居官者携家室以俱行，未为失也，必欲使之绝父子之恩，忘室家之好，如世所称妻子不入官舍者，亦非中庸之行矣。然身俭素而家人奢泰，以此累其清节者，亦非无之。妻子不入官舍，亦有时足为苞苴滥取之防，以此自厉，究为贤者，较之以家自累者，则远胜矣（《三国志》载：蒋钦，“权尝入其堂内，母疏帐缥被，妇妾布裙。权叹其在贵守约”。则家人能俱安于俭者，亦有之，然非可概诸人人也）。

治生之道，循分为难。何谓循分？曰：“耕而食，织而衣，有益于己，无害于人者是已。”然在交易既兴之后则难矣。无已，其廉贾乎？然身处瘈瘈之中，为操奇计赢之事，而犹能不失其清者，非有道者不能，凡人未足以语此也。士大夫之家，既不能手胼足胝，躬耕耘之业，又不能持筹握算，博蝇头之利；使为农商，必将倚势陵人，滞财役贫矣。陈化敕子弟废田业，绝治产，仰官廪禄，不与百姓争利（见《三国志·孙权传》黄武四年注引《吴书》），以此也。若其财果出于廪禄，虽治产亦何伤？所以必绝之者，正以士大夫而治生，易有妨于百姓故也。诸葛亮之不别治生，其以此欤？

《三国志·孙休传》注引《襄阳记》言："（李）衡每欲治家，妻辄不听。后密遣客十人，于武陵龙阳泛洲上作宅，种甘橘千株。临死，敕儿曰：'汝母恶我治家，故穷如是。然吾州里有千头木奴，不责汝衣食，岁上一匹绢，亦可足用耳。'衡亡后二十余日，儿以白母，母曰：'此当是种甘橘也。汝家失十户客来七八年，必汝父遣为宅。汝父恒称太史公言，江陵千树橘，当封君家。'吾答曰：'且人患无德义，不患不富，若贵而能贫，方好耳，用此何为？'吴末，衡甘橘成，岁得绢数千匹，家道殷足。晋咸康中，其宅址枯树犹在。"患无德义而不忧贫，衡之妻何其贤也！然勤树艺之利，而不剥削于人，衡之治生，亦可谓贤矣。然自吴末至咸康，五十年耳，木已枯矣，信乎树木之利，不如树人也。

士之能厉清节者寡矣，乱世尤甚，以法纪荡然，便于贪取也。《三国志·王修传》言：袁氏政宽，在职势者多畜聚。太祖破邺，籍没审配等家财物以万数。此袁氏所由亡欤？（《郭嘉传》注引《傅子》，谓嘉言绍有十败，曹公有十胜，汉末政失于宽，绍以宽济宽，公纠之以猛。然则绍之宽，非宽于人民，乃宽于虐民者耳。）然虽太祖，亦未能使其下皆厉廉节也。太祖为司空时，以己率下，每岁发调，使本县平资。于时谯令平曹洪资财与公家等，太祖曰："我家资那得如子廉耶？"（《三国志·曹洪传》注引《魏略》）洪之多财可知矣。诸葛瑾及其子恪并质素，虽在军旅，身无彩饰；而恪弟融，锦罽文绣，独为奢绮。潘璋"性奢泰，末年弥甚，服物僭拟，吏兵富者，或杀取其财物"。（均见《三国志》本传）其不法如此。然非独武人也，曹爽等实不世之才，而卒以奢败。魏之何夔，蜀之刘琰，吴之吕范，并以豪汰称，而其风且传于奕世（何曾，夔之子也）。晋治之不善，王、石等之奢汰实为之，而其风则仍诸魏末者也。以魏武帝、诸葛武侯之严，吴大帝之暴，而不能绝，亦难矣。

太祖父嵩之死，《武帝纪》注引《世语》、《吴书》，其说不同。《世语》云："嵩在泰山华县，太祖令泰山太守应劭送家诣兖州，劭兵未至，陶谦密遣数千骑掩捕。嵩家以为劭迎，不设备。谦兵至……阖门皆死。"《吴书》言："太祖迎嵩，辎重百余两。陶谦遣都尉张闿将骑二百卫送，闿于泰山华、费间杀嵩，取财物，因奔淮南。"谦虽背道任情，谓其与阙宣合从寇钞，似失之诬，当以《吴书》之言为是。然无论其为谦遣骑掩捕，抑卫送之将所为，嵩之慢藏诲盗则一也。处乱世者，可不戒欤？

鲁肃指囷，读史者亦久传为美谈，然亦非独肃也。先主转军广陵海西，糜竺进奴客二千，金银货币，以助军资。于时困匮，赖以复振，亦肃指囷之类也。知《管子》谓丁氏之粟足食三军之师，为不诬矣。然用财贵得其当，刘备、周瑜，皆末世好乱之士，助之果何为哉？

孙策欲袭许[1]

孙策欲袭许之说，见于《三国志·魏志·武帝纪》，又见于《吴志·策传》，《策传》且谓欲袭许迎汉帝。注引《江表传》，则谓“策前西征，陈登阴遣间使，以印绶与严白虎余党，图为后祸，以报陈瑀见破之辱（登，瑀从兄子）。策归复讨登军到丹徒，须待运粮，见杀”。《九州春秋》及《傅子》又谓“策闻曹公将征柳城，而欲袭许”，异说纷如。

夫策见杀在建安五年，而柳城之役在十二年。《九州春秋》及《傅子》之谬，不待辩矣。孙盛《异同评》谓：“策虽威行江外，略有六郡，然黄祖乘其上流，陈登间其心腹，且深险强宗，未尽归服，曹、袁虎争，势倾山海，策岂暇

① 本篇选自《吕思勉遗文集》（下）（华东师范大学出版社 1997 年版，第 603~605 页），标题依旧。

远师汝、颍，而迁帝于吴、越哉？”又谓“绍以建安五年至黎阳，策以四月遇害。而《志》云策闻曹公与绍相距于官渡，谬矣。伐登之言，为有证也。”其说是也。而裴松之谓：“黄祖始被策破，魂气未反，刘表君臣本无兼并之志……于时强宗骁帅，祖郎、严虎之徒，禽灭已尽，所余山越，盖何足虑。若使策志获从，大权在手，淮、泗之间，所在皆可都，何必毕志江外，迁帝于扬、越哉？”又致“武帝建安四年已出屯官渡，乃策未死之前，久与袁绍交兵”，因谓策之此举，理应先图陈登，而不止于登，《国志》所云不谬，则误矣。刘表、黄祖，庸或不能为策患，江南之强宗骁帅，则虽处深险之区，实为心腹之疾，策虽轻狡，岂容一无顾虑，即谓其不足为患？抑策并不知虑此。然以策之众，岂足与中国争衡，即谓袁、曹相持，如鹬蚌两不得解，策欲袭许，亦未有济，况徒偏师相接乎？淮、泗之间，岂足自立？策之众，视陶谦、袁术、刘备、吕布何如？若更远都江表，则义帝之居郴耳，岂足有济。况汉至献帝之世，威灵久替，扶之岂足有济？曹公之克成大业，乃由其能严令行，用兵如神，非真天子之虚名也。不然，因献帝而臣伏于操者何人哉？以曹公之明，挟献帝而犹无所用，而况于策乎？况以策之轻狡，又岂足以知此乎？

《吴志·吕范传》云："下邳陈瑀自号吴郡太守，住海西，与强族严白虎交通。策自将讨虎，别遣范与徐逸攻瑀于海西，枭其大将陈牧。"而《孙策传》注引《江表传》谓：建安二年，诏"以策为骑都尉，袭爵乌程侯，领会稽太守"。又诏与领徐州牧温侯布，及行吴郡太守安东将军陈瑀，共讨袁术。则瑀行吴郡太守，乃朝命，非自号也。传又言，"是时陈瑀屯海西，策奉诏治严，当与布、瑀参同形势。行到钱塘，瑀阴图袭策，遣都尉万演等密渡江，使持印传三十余纽与贼丹杨、宣城、泾、陵阳、始安、黟、歙诸险县大帅祖郎、焦已，及吴郡乌程严白虎等，使为内应，伺策军发，欲攻取诸郡。策觉之，遣吕范、徐逸攻瑀于海西，大破瑀，获其吏士妻子四千人。"案：策之渡江，本为袁术，汉朝命吏，如刘繇、王朗、华歆等，无不为其所逐。是时虽有与吕布、陈瑀同讨袁术之命，特权宜用之，非信其心也。有隙可乘，加以诛翦，夫固事理所宜。《吕范传》注引《九州春秋》曰："初平三年，扬州刺史陈袆死，袁术使瑀领扬州牧。后术为曹公所败于封丘，南人叛瑀，瑀拒之。术走阴陵，好辞以下瑀，瑀不知权，而又怯，不即攻术。术于淮北集兵向寿春，瑀惧，使其弟公琰请和于术。术执之而进，瑀走归下邳。"然则瑀实乃心王室者。陈登之结白虎余党，盖亦欲继其从父之志，戡翦乱人，非徒为雪家门之耻也。《张邈传》注引《九州春秋》言：登甚得江淮间欢心，有吞灭江南之志，孙策遣军攻登，再败，而迁为东城太守。孙权遂跨有江外。太祖每临大江而叹，恨不早用陈元龙计，而令封豕养其爪牙。则登之才，盖非刘繇、王朗等比，而任之不专，致使大功不竟，轻狡之子，坐据江外数十年，岂不惜哉。

三国之校事[1]

所谓特务，并不是近代才有的，在距今一千七百余年前，就早已有了。《三国志·魏志·高柔传》说："魏国初建，为尚书郎，转拜丞相理曹掾……迁为颍川太守，复还为法曹掾。时置校事卢洪、赵达等，使察群下。柔谏曰：'设官分职，各有所司。今置校事，既非居上信下之旨；又达等数以憎爱擅作威福，宜检治之。'太祖曰：'卿知达等，恐不如吾也。要能刺举而辨众事，使贤人君子为之，则不能也。昔叔孙通用群盗，良有以也。'达等后奸利发，太祖杀之，以谢于柔。"然校事之制，并未因之而废，所以下文说："校事刘慈等自黄初初数年之间，举吏民奸罪以万数，柔皆请惩虚实；其

① 本篇选自《吕思勉遗文集》(下)(华东师范大学出版社1997年版)，按原稿补正，标题依旧。

余小小挂法者，不过罚金。”

到嘉平中，才因程昱孙晓之言而废，《昱传》云：“时校事放横，晓上疏曰：‘……昔武皇帝大业草创，众官未备，而军旅勤苦，民心不安，乃有小罪，不可不察，故置校事，取其一切耳，然检御有方，不至纵恣也。……其后渐蒙见任，复为疾病，转相因仍，莫正其本。遂令上察宫庙，下摄众司，官无局业，职无分限，随意任情，唯心所适。法造于笔端，不依科诏；狱成于门下，不顾覆讯。其选官属，以谨慎为粗疏，以谲诇为贤能。其治事，以刻暴为公严，以循理为怯弱。外则托天威以为声势，内则聚群奸以为腹心。大臣耻与分势，含忍而不言；小人畏其锋芒，郁结而无告。至使尹模公于目下肆其奸慝，罪恶之著，行路皆知，纤恶之过，积年不闻。……今外有公卿、将校，总统诸署；内有侍中、尚书，综理万机；司隶校尉督察京辇；御史中丞董摄宫殿；皆高选贤才以充其职，申明科诏以督其违。若此诸贤犹不足任，校事小吏，益不可信。若此诸贤各思尽忠，校事区区，亦复无益。若更高选国士以为校事，则是中丞、司隶重增一官耳。若如旧选，尹模之奸，今复发矣。进退推算，无所用之。……曹恭公远君子，近小人，《国风》托以为刺；卫献公舍大臣，与小臣谋，定姜谓之有罪。纵令校事有益于国，以礼义言之，尚伤大臣之心，况奸回暴露，而复不罢，是衮阙不补，迷而不返也。’于是遂罢校事官。”

魏国之建，事在汉献帝建安二十一年，为西元216年，嘉平为齐王芳年号，自249年至253年，魏之任校事，约历40年。

又《吴志·孙权传》：赤乌元年，“初，权信任校事吕壹，壹性苛惨，用法深刻。太子登数谏，权不纳，大臣由是莫敢言。后壹奸罪发露，伏诛，权引咎责躬，乃使中书郎袁礼告谢诸大将。”《朱据传》：“嘉禾中，始铸大钱，一当五百。后据部曲应受三万缗，工王遂诈而受之，典校吕壹疑据实取，考问主者，死于杖下，据哀其无辜，厚棺敛之。壹又表据：吏为据隐，故厚其殡。权数责问据，据无以自明，藉草待罪。数月，典军吏刘助觉，言王遂所取，权大感寤曰：‘朱据见枉，况吏民乎？’乃穷治壹罪，赏助百万。”嘉禾为权年号，自232年至237年，其明年238年，为赤乌元年。

用法之所最忌者，为于正式机关之外，别立机关；且出入任情，不本成法；程晓之言，可谓极其痛切了。魏武帝是很有明察之才的，《魏志·方技传》注引东阿王《辨道论》，说：“世有方士，吾王悉所招致，甘陵有甘始，庐江有左慈，阳城有郤俭……始等知上遇之有恒，奉不过于员吏，赏不加于无功，海岛难得而游，六黻难得而佩，终不敢进虚诞之言，出非常之语。”魏武帝的严明，确乎不甚容易；程晓说他检御有方，当非虚语，然仍不能不为赵达等所欺；像孙权的粗疏，就更不必说了。

程晓说任校事有伤大臣之心，而吕壹之诛，孙权使告谢诸将，则魏、吴之任校事，意实在于检察将吏的贪纵。从来丧乱之际，官方每多不饬，武臣纵恣尤甚，加以检察实为必要。然目的虽正，而手段不适，其招祸尚如此，若如近代法西斯主义者之所为，专为维持一己的威权地位起见，不恤用残酷之吏，肆暴虐于民，则是武曌之任周兴、来俊臣，明成祖之立东厂，其作风又在魏武帝、吴大帝之下了。

或谓法西斯主义者流，所行虽不适当，亦非无为国为民之心，未可一笔抹杀。这话我亦承认。但须知社会国家，关系重大，手段一误，流毒无穷，正未可以有为公之心，而冀人宽恕。昔人说：周公营洛阳为东都，说其地交通便利，有德易以兴，无德易以亡。秉政者正不可无此气度。所以不论我是该推翻的，不该过于防闲别人；即使我确能代表国利民福，反对我者系属捣乱之徒，我们对他，仍不宜过于压制，因为让他爆发一次，则其捣乱为众所共知，即为众所共弃，而大局也可以早入于正轨了。又况谁能代表国利民福，根本不易判定呢！

国家新闻出版广电总局

首届向全国推荐中华优秀传统文化普及图书

大家小书书目

国学救亡讲演录	章太炎 著 蒙 木 编
门外文谈	鲁 迅 著
经典常谈	朱自清 著
语言与文化	罗常培 著
习坎庸言校正	罗 庸 著 杜志勇 校注
鸭池十讲（增订本）	罗 庸 著 杜志勇 编订
古代汉语常识	王 力 著
国学概论新编	谭正璧 编著
文言尺牍入门	谭正璧 著
日用交谊尺牍	谭正璧 著
敦煌学概论	姜亮夫 著
训诂简论	陆宗达 著
金石丛话	施蛰存 著
常识	周有光 著 叶 芳 编
文言津逮	张中行 著
经学常谈	屈守元 著
国学讲演录	程应镠 著
英语学习	李赋宁 著
中国字典史略	刘叶秋 著
语文修养	刘叶秋 著
笔祸史谈丛	黄 裳 著
古典目录学浅说	来新夏 著
闲谈写对联	白化文 著
汉字知识	郭锡良 著
怎样使用标点符号（增订本）	苏培成 著
汉字构型学讲座	王 宁 著

诗境浅说	俞陛云　著
唐五代词境浅说	俞陛云　著
北宋词境浅说	俞陛云　著
南宋词境浅说	俞陛云　著
人间词话新注	王国维　著　滕咸惠　校注
苏辛词说	顾　随　著　陈　均　校
诗论	朱光潜　著
唐五代两宋词史稿	郑振铎　著
唐诗杂论	闻一多　著
诗词格律概要	王　力　著
唐宋词欣赏	夏承焘　著
槐屋古诗说	俞平伯　著
词学十讲	龙榆生　著
词曲概论	龙榆生　著
唐宋词格律	龙榆生　著
楚辞讲录	姜亮夫　著
读词偶记	詹安泰　著
中国古典诗歌讲稿	浦江清　著 浦汉明　彭书麟　整理
唐人绝句启蒙	李霁野　著
唐宋词启蒙	李霁野　著
唐诗研究	胡云翼　著
风诗心赏	萧涤非　著　萧光乾　萧海川　编
人民诗人杜甫	萧涤非　著　萧光乾　萧海川　编
唐宋词概说	吴世昌　著
宋词赏析	沈祖棻　著
唐人七绝诗浅释	沈祖棻　著
道教徒的诗人李白及其痛苦	李长之　著
英美现代诗谈	王佐良　著　董伯韬　编
闲坐说诗经	金性尧　著
陶渊明批评	萧望卿　著

古典诗文述略	吴小如　著
诗的魅力 ——郑敏谈外国诗歌	郑　敏　著
新诗与传统	郑　敏　著
一诗一世界	邵燕祥　著
舒芜说诗	舒　芜　著
名篇词例选说	叶嘉莹　著
汉魏六朝诗简说	王运熙　著　董伯韬　编
唐诗纵横谈	周勋初　著
楚辞讲座	汤炳正　著 汤序波　汤文瑞　整理
好诗不厌百回读	袁行霈　著
山水有清音 ——古代山水田园诗鉴要	葛晓音　著
红楼梦考证	胡　适　著
《水浒传》考证	胡　适　著
《水浒传》与中国社会	萨孟武　著
《西游记》与中国古代政治	萨孟武　著
《红楼梦》与中国旧家庭	萨孟武　著
《金瓶梅》人物	孟　超　著　张光宇　绘
水泊梁山英雄谱	孟　超　著　张光宇　绘
水浒五论	聂绀弩　著
《三国演义》试论	董每戡　著
《红楼梦》的艺术生命	吴组缃　著　刘勇强　编
《红楼梦》探源	吴世昌　著
《西游记》漫话	林　庚　著
史诗《红楼梦》	何其芳　著 王叔晖　图　蒙　木　编
细说红楼	周绍良　著
红楼小讲	周汝昌　著　周伦玲　整理

曹雪芹的故事　周汝昌　著　周伦玲　整理
古典小说漫稿　吴小如　著
三生石上旧精魂
——中国古代小说与宗教　白化文　著
《金瓶梅》十二讲　宁宗一　著
中国古典小说名作十五讲　宁宗一　著
古体小说论要　程毅中　著
近体小说论要　程毅中　著
《聊斋志异》面面观　马振方　著
《儒林外史》简说　何满子　著

我的杂学　周作人　著　张丽华　编
写作常谈　叶圣陶　著
中国骈文概论　瞿兑之　著
谈修养　朱光潜　著
给青年的十二封信　朱光潜　著
论雅俗共赏　朱自清　著
文学概论讲义　老　舍　著
中国文学史导论　罗　庸　著　杜志勇　辑校
给少男少女　李霁野　著
古典文学略述　王季思　著　王兆凯　编
古典戏曲略说　王季思　著　王兆凯　编
鲁迅批判　李长之　著
唐代进士行卷与文学　程千帆　著
说八股　启　功　张中行　金克木　著
译余偶拾　杨宪益　著
文学漫识　杨宪益　著
三国谈心录　金性尧　著
夜阑话韩柳　金性尧　著
漫谈西方文学　李赋宁　著
历代笔记概述　刘叶秋　著

周作人概观	舒　芜　著
古代文学入门	王运熙　著　董伯韬　编
有琴一张	资中筠　著
中国文化与世界文化	乐黛云　著
新文学小讲	严家炎　著
回归，还是出发	高尔泰　著
文学的阅读	洪子诚　著
中国文学1949—1989	洪子诚　著
鲁迅作品细读	钱理群　著
中国戏曲	么书仪　著
元曲十题	么书仪　著
唐宋八大家 ——古代散文的典范	葛晓音　选译
辛亥革命亲历记	吴玉章　著
中国历史讲话	熊十力　著
中国史学入门	顾颉刚　著　何启君　整理
秦汉的方士与儒生	顾颉刚　著
三国史话	吕思勉　著
史学要论	李大钊　著
中国近代史	蒋廷黻　著
民族与古代中国史	傅斯年　著
五谷史话	万国鼎　著　徐定懿　编
民族文话	郑振铎　著
史料与史学	翦伯赞　著
秦汉史九讲	翦伯赞　著
唐代社会概略	黄现璠　著
清史简述	郑天挺　著
两汉社会生活概述	谢国桢　著
中国文化与中国的兵	雷海宗　著
元史讲座	韩儒林　著

魏晋南北朝史稿	贺昌群　著
汉唐精神	贺昌群　著
海上丝路与文化交流	常任侠　著
中国史纲	张荫麟　著
两宋史纲	张荫麟　著
北宋政治改革家王安石	邓广铭　著
从紫禁城到故宫 ——营建、艺术、史事	单士元　著
春秋史	童书业　著
明史简述	吴　晗　著
朱元璋传	吴　晗　著
明朝开国史	吴　晗　著
旧史新谈	吴　晗　著　习　之　编
史学遗产六讲	白寿彝　著
先秦思想讲话	杨向奎　著
司马迁之人格与风格	李长之　著
历史人物	郭沫若　著
屈原研究（增订本）	郭沫若　著
考古寻根记	苏秉琦　著
舆地勾稽六十年	谭其骧　著
魏晋南北朝隋唐史	唐长孺　著
秦汉史略	何兹全　著
魏晋南北朝史略	何兹全　著
司马迁	季镇淮　著
唐王朝的崛起与兴盛	汪　篯　著
南北朝史话	程应镠　著
二千年间	胡　绳　著
论三国人物	方诗铭　著
辽代史话	陈　述　著
考古发现与中西文化交流	宿　白　著
清史三百年	戴　逸　著

清史寻踪	戴　逸　著
走出中国近代史	章开沅　著
中国古代政治文明讲略	张传玺　著
艺术、神话与祭祀	张光直　著 刘　静　乌鲁木加甫　译
中国古代衣食住行	许嘉璐　著
辽夏金元小史	邱树森　著
中国古代史学十讲	瞿林东　著
历代官制概述	瞿宣颖　著

宾虹论画	黄宾虹　著
中国绘画史	陈师曾　著
和青年朋友谈书法	沈尹默　著
中国画法研究	吕凤子　著
桥梁史话	茅以升　著
中国戏剧史讲座	周贻白　著
中国戏剧简史	董每戡　著
西洋戏剧简史	董每戡　著
俞平伯说昆曲	俞平伯　著　陈　均　编
新建筑与流派	童　寯　著
论园	童　寯　著
拙匠随笔	梁思成　著　林　洙　编
中国建筑艺术	梁思成　著　林　洙　编
沈从文讲文物	沈从文　著　王　风　编
中国画的艺术	徐悲鸿　著　马小起　编
中国绘画史纲	傅抱石　著
龙坡谈艺	台静农　著
中国舞蹈史话	常任侠　著
中国美术史谈	常任侠　著
说书与戏曲	金受申　著
世界美术名作二十讲	傅　雷　著

中国画论体系及其批评　李长之　著
金石书画漫谈　启　功　著　赵仁珪　编
吞山怀谷
——中国山水园林艺术　汪菊渊　著
故宫探微　朱家溍　著
中国古代音乐与舞蹈　阴法鲁　著　刘玉才　编
梓翁说园　陈从周　著
旧戏新谈　黄　裳　著
民间年画十讲　王树村　著　姜彦文　编
民间美术与民俗　王树村　著　姜彦文　编
长城史话　罗哲文　著
天工人巧
——中国古园林六讲　罗哲文　著
现代建筑奠基人　罗小未　著
世界桥梁趣谈　唐寰澄　著
如何欣赏一座桥　唐寰澄　著
桥梁的故事　唐寰澄　著
园林的意境　周维权　著
万方安和
——皇家园林的故事　周维权　著
乡土漫谈　陈志华　著
现代建筑的故事　吴焕加　著
中国古代建筑概说　傅熹年　著

简易哲学纲要　蔡元培　著
大学教育　蔡元培　著
北大元培学院　编
老子、孔子、墨子及其学派　梁启超　著
春秋战国思想史话　嵇文甫　著
晚明思想史论　嵇文甫　著
新人生论　冯友兰　著

中国哲学与未来世界哲学	冯友兰　著
谈美	朱光潜　著
谈美书简	朱光潜　著
中国古代心理学思想	潘　菽　著
新人生观	罗家伦　著
佛教基本知识	周叔迦　著
儒学述要	罗　庸　著　杜志勇　辑校
老子其人其书及其学派	詹剑峰　著
周易简要	李镜池　著　李铭建　编
希腊漫话	罗念生　著
佛教常识答问	赵朴初　著
维也纳学派哲学	洪　谦　著
大一统与儒家思想	杨向奎　著
孔子的故事	李长之　著
西洋哲学史	李长之　著
哲学讲话	艾思奇　著
中国文化六讲	何兹全　著
墨子与墨家	任继愈　著
中华慧命续千年	萧萐父　著
儒学十讲	汤一介　著
汉化佛教与佛寺	白化文　著
传统文化六讲	金开诚　著　金舒年　徐令缘　编
美是自由的象征	高尔泰　著
艺术的觉醒	高尔泰　著
中华文化片论	冯天瑜　著
儒者的智慧	郭齐勇　著
中国政治思想史	吕思勉　著
市政制度	张慰慈　著
政治学大纲	张慰慈　著
民俗与迷信	江绍原　著　陈泳超　整理

政治的学问	钱端升　著　钱元强　编
从古典经济学派到马克思	陈岱孙　著
乡土中国	费孝通　著
社会调查自白	费孝通　著
怎样做好律师	张思之　著　孙国栋　编
中西之交	陈乐民　著
律师与法治	江　平　著　孙国栋　编
中华法文化史镜鉴	张晋藩　著
新闻艺术（增订本）	徐铸成　著
经济学常识	吴敬琏　著　马国川　编
中国化学史稿	张子高　编著
中国机械工程发明史	刘仙洲　著
天道与人文	竺可桢　著　施爱东　编
中国医学史略	范行准　著
优选法与统筹法平话	华罗庚　著
数学知识竞赛五讲	华罗庚　著
中国历史上的科学发明（插图本）	钱伟长　著

出版说明

“大家小书”多是一代大家的经典著作，在还属于手抄的著述年代里，每个字都是经过作者精琢细磨之后所拣选的。为尊重作者写作习惯和遣词风格、尊重语言文字自身发展流变的规律，为读者提供一个可靠的版本，“大家小书”对于已经经典化的作品不进行现代汉语的规范化处理。

提请读者特别注意。

北京出版社